Deutsch als Fremdsprache

Silke Hilpert | Daniela Niebisch | Sylvette Penning-Hiemstra | Franz Specht
Monika Reimann | Andreas Tomaszewski

unter Mitarbeit von
Marion Kerner | Dörte Weers

Schritte plus 3

Kursbuch
+ Arbeitsbuch

Niveau A2/1

Hueber Verlag

Beratung:
Susanne Kalender, Duisburg
Marion Overhoff, Duisburg
Şeniz Sütçü, Berlin

Fotogeschichte:
Fotograf: Alexander Keller, München
Darsteller: Martina Fuchs-Dingler, Francesca Pane, Anna von Rebay, Tim Röhrle, Emil Salzeder und andere
Organisation: Iciar Caso, Weßling

Phonetik:
Monika Bovermann, Heitersheim

Für die hilfreichen Hinweise danken wir:
Ulrike Ankenbrank, Barbara Békési, Katja Meyer-Höra, Raffaella Pepe, Eva Winisch

Interaktive Aufgaben für den Computer:
Barbara Gottstein-Schramm

| 11. | 10. | 9. | | Die letzten Ziffern |
| 2022 | 21 | 20 | 19 | 18 | bezeichnen Zahl und Jahr des Druckes. |

Alle Drucke dieser Auflage können, da unverändert,
nebeneinander benutzt werden.
1. Auflage
© 2010 Hueber Verlag GmbH & Co. KG, 85737 Ismaning, Deutschland
Zeichnungen: Jörg Saupe, Düsseldorf
Layout: Marlene Kern, München
Verlagsredaktion: Dörte Weers, Marion Kerner, Jutta Orth-Chambah, Juliane Wolpert,
Isabel Krämer-Kienle, Hueber Verlag, Ismaning
Druck und Bindung: Westermann Druck GmbH, Braunschweig
Printed in Germany
ISBN 978-3-19-001913-7
ISBN 978-3-19-011913-4 (mit CD)

Art. 530_02323_001_12

AUFBAU

Symbole / Piktogramme

Kursbuch		Arbeitsbuch	
Hörtext auf CD	CD1 05	Hörtext auf CD	CD3 12
Grammatik	auf stehen → aufgestanden ab holen → abgeholt	Vertiefungsübung	Ergänzen Sie.
Hinweis	jemand ↔ niemand	Erweiterungsübung	Ergänzen Sie.
Aktivität im Kurs	⇄	Verweis auf *Schritte plus Portfolio* unter: www.hueber.de/schritte-plus	▶ Portfolio
Redemittel	*Sind Sie schon mal ...?* *Haben Sie ...?* *Ist Ihr Gepäck schon ...?*		
Verweis auf *Schritte Übungsgrammatik* (ISBN 978-3-19-301911-0)	▶ ÜG, 3.03		

Inhalt Kursbuch

Vorwort

Liebe Leserinnen, liebe Leser,

Schritte plus ist ein Lehrwerk für die Grundstufe. Es führt Lernende ohne Vorkenntnisse in jeweils zwei Bänden zu den Sprachniveaus A1, A2 und B1.

Schritte plus orientiert sich genau

- an den Vorgaben des Gemeinsamen Europäischen Referenzrahmens und

Das Plus
- an den Vorgaben des Rahmencurriculums des Bundesministeriums des Inneren.

Gleichzeitig bereitet *Schritte plus* gezielt auf die Prüfungen Start Deutsch 1 (Stufe A1), Start Deutsch 2 (Stufe A2), den Deutsch-Test für Zuwanderer (Stufe A2–B1) und das Zertifikat Deutsch (Stufe B1) vor.

Das Kursbuch

Jede der sieben Lektionen eines Bandes besteht aus einer Einstiegsdoppelseite, fünf Lernschritten A–E, einer Übersichtsseite sowie einem Zwischenspiel.

Einstieg: Jede Lektion beginnt mit einer Folge einer unterhaltsamen Foto-Hörgeschichte. Die Episoden bilden den thematischen und sprachlichen Rahmen der Lektion.

Lernschritt A–C: Diese Lernschritte bilden jeweils in sich abgeschlossene Einheiten und folgen einer klaren, einheitlichen Struktur:
In der Kopfzeile jeder Seite sehen Sie, um welchen Lernstoff es geht. Die Einstiegsaufgabe führt den neuen Stoff ein, indem sie an die gerade gehörte Foto-Hörgeschichte anknüpft. Grammatik-Einblendungen machen die neu zu lernenden Sprachstrukturen bewusst. Die folgenden Aufgaben dienen dem Einüben der neuen Strukturen – zunächst meist in gelenkter, dann in freierer Form. Den Abschluss des Lernschritts bildet eine freie, oft spielerische Anwendungsübung oder ein interkultureller Sprechanlass.

Lernschritt D und E: Hier werden die vier Fertigkeiten – Hören, Lesen, Sprechen und Schreiben – nochmals in authentischen Alltagssituationen trainiert und systematisch erweitert.

Übersicht: Die wichtigen Strukturen, Wendungen und Strategien einer Lektion sind hier systematisch aufgeführt.

Das Plus
Zwischenspiel: Landeskundlich interessante und spannende Lese- und Hörtexte mit spielerischen Aktivitäten runden die Lektion ab.

Das Arbeitsbuch

Im integrierten Arbeitsbuch finden Sie:
- Übungen zu den Lernschritten A–E des Kursbuchs in verschiedenen Schwierigkeitsgraden, um innerhalb eines Kurses binnendifferenziert mit schnelleren und langsameren Lernenden zu arbeiten
- Übungen zur Phonetik
- Anregungen zum autonomen Lernen in Form eines Lerntagebuchs
- Aufgaben zur Vorbereitung auf die Prüfungen
- zahlreiche Möglichkeiten, bereits gelernten Stoff zu wiederholen und zu üben

Das Plus
- Lernwortschatz zu jeder Lektion
- systematisches Schreibtraining
- Übungen, die zum selbstentdeckenden Erkennen grammatischer Strukturen anleiten

Das Plus
Fokus-Seiten

greifen die Lernziele des Bundesministeriums des Inneren auf und bieten zahlreiche zusätzliche Materialien zu den Themen Familie, Beruf und Alltag, um den speziellen Bedürfnissen einer Lerngruppe gerecht zu werden. Sie können fakultativ bearbeitet werden. In *Schritte plus 3* gibt es zu jeder Lektion zwei Fokusseiten. Zu vielen Fokusseiten sind weiterführende Projekte vorgesehen, die im Lehrerhandbuch (ISBN 978-3-19-051913-2) ausführlich erläutert werden.

Schritte plus ist wahlweise mit integrierter Arbeitsbuch-CD erhältlich. Sie bietet
- die Hörtexte und Phonetikübungen des Arbeitsbuchs
- **Das Plus:** interaktive Übungen für den Computer zu allen Lektionen

Was bietet *Schritte plus* darüber hinaus
- Selbstevaluation: Mithilfe eines Fragebogens können die Lernenden ihren Kenntnisstand selbst überprüfen und beurteilen.

Im Internetservice unter *www.hueber.de/schritte-plus* finden Sie zahlreiche Übungen, Kopiervorlagen, Texte sowie eine Aufstellung über die vielfältigen zusätzlichen Materialien – wie eine Übungsgrammatik, Lektürehefte, Poster, Intensivtrainer und vieles mehr.
Für Eltern-/Jugendkurse oder berufsorientierte Kurse gibt es dort ergänzende und erweiternde Arbeitsblätter und Unterrichtssequenzen.

Viel Spaß beim Lehren und Lernen mit *Schritte plus*
wünschen Ihnen
Autoren und Verlag

1 Stellen Sie sich vor: Wie heißen Sie?

2 Arbeiten Sie zu zweit. Fragen Sie Ihre Partnerin / Ihren Partner und ergänzen Sie den Fragebogen.

Die erste Stunde im Kurs

Vorname
....

Name
....

Heimatland
....

Stadt
....

Seit wann hier?
....

Sprachen
....

Hobbys
....

Beruf
....

Familie
....

3 Im Kurs: Stellen Sie Ihre Partnerin / Ihren Partner vor.

1 | Kennenlernen

FOLGE 1: *MARIA*

1   Sehen Sie die Fotos an. Was meinen Sie?

  a Wohin fährt die Familie? Zum ...

  b Wen holt die Familie ab?   Ich denke, das ist   Vielleicht ist sie
     Wer ist die junge Frau auf Foto 4?   eine Verwandte.   ein Au-pair-Mädchen.

2   Was passt? Ergänzen Sie: die Geschwister ● das Ehepaar

  a der Bruder + die Schwester = ...   **b** die Ehefrau + der Ehemann = ...

CD 1 02-09 **3   Sehen Sie die Fotos an und hören Sie.**

4   Wer ist wer? Zeigen Sie: Kurt ● Susanne ● Larissa ● Simon ● Maria

5 Ergänzen Sie die Namen.

a ....: Sie war schon einmal verheiratet und hat eine Tochter. Sie lebt jetzt mit Kurt zusammen. Sie ist schwanger: Bald bekommt sie ein Baby.

b *Larissa*.............................: Ihre Eltern leben getrennt. Sie und ihre Mutter leben jetzt mit Kurt und Simon zusammen.

c ....: Er war schon einmal verheiratet und hat einen Sohn.

d ....: Er ist der Sohn von Kurt.

e ....: Sie ist erst heute in Deutschland angekommen. Sie möchte hier als Au-pair-Mädchen arbeiten.

6 Marias Reise. Kreuzen Sie an: Richtig oder falsch?   richtig falsch

a Sie ist schon um zwei Uhr aufgestanden.   ☐   ☐
b Der Bus zum Flughafen hat ein Rad verloren.   ☐   ☐
c Maria hat das Flugzeug verpasst.   ☐   ☐
d Sie hat im Flugzeug nicht geschlafen.   ☐   ☐

A1 Ordnen Sie zu.

a Warum fahren alle zusammen zum Flughafen?

b Susanne und Kurt brauchen ein Au-pair-Mädchen,

c Warum bekommt Maria das Wohnzimmer?

Weil es das einzige freie Zimmer ist.

weil sie viel arbeiten und das Baby bald kommt.

Weil Maria gleich die ganze Familie kennenlernen soll.

Susanne und Kurt brauchen ein Au-pair-Mädchen, **weil** sie viel **arbeiten**.
Warum bekommt Maria das Wohnzimmer? **Weil** es das einzige freie Zimmer ist.

A2 „Warum bist du in Deutschland, Maria?" – „Weil ich ...". Schreiben Sie.

Ich habe Freunde in Deutschland.

Weil ich Freunde in Deutschland habe.

Ich spiele gern mit Kindern.

Ich finde Deutschland interessant.

....

Ich koche gern.

....

CD 1 | 10

A3 Rückkehr aus der Heimat: Hören Sie und variieren Sie.

▲ Warum bist du denn so müde?
● Weil ich die ganze Nacht nicht geschlafen habe.

Varianten:

glücklich – Ich habe zu Hause meine Familie gesehen. ●   fröhlich – Du holst mich ab. ●

traurig – Ich kann meine Freunde zu Hause lange nicht sehen. ●

sauer – Ich muss morgen arbeiten.

Ich habe ... geschlafen.	→ Weil ich ... geschlafen habe.
Du holst ... ab.	→ Weil du ... abholst.
Ich kann ... sehen.	→ Weil ich ... sehen kann.

A4 Finden Sie für Klara möglichst viele Ausreden mit *weil*. Sie haben fünf Minuten Zeit.

Klara, ich habe gestern zwei Stunden auf dich gewartet. Warum bist du nicht gekommen?

Weil mein Hund krank war.

Weil ...

B1 Lesen Sie, markieren Sie und ergänzen Sie.

Hallo Karin,

wir haben uns schon so lange nicht mehr gesehen. Das letzte Mal vor zwei Jahren. Jetzt bin ich endlich da! Das war eine lange Reise. Nach 16 Stunden Flug bin ich in München angekommen. Dort haben mich dann Susanne, Kurt, Larissa und Simon abgeholt. Das war sehr nett. Ich war aber so müde. Ich bin nämlich schon um drei Uhr aufgestanden! Im Auto bin ich dann eingeschlafen. Wie peinlich! Besuchst Du mich hier mal?

Viele liebe Grüße
Maria

sehen	*gesehen*
an·kommen	*angekommen*
ab·holen	....
auf·stehen	....
ein·schlafen	....

Ich │bin│ schon um drei Uhr │aufgestanden│.

auf·stehen → **auf**gestanden
ab·holen → **ab**geholt

D1 11

B2 Zurück aus dem Urlaub: Hören Sie und variieren Sie.

● Packst du bitte die Koffer aus?
▲ Ich habe sie doch schon ausgepackt!

Varianten:
deine Mutter anrufen (angerufen) ● die Jacken aufhängen (aufgehängt) ●
Getränke einkaufen (eingekauft) ● die Post beim Nachbarn abholen (abgeholt)

> **Schon fertig?**
> Kennen Sie noch andere Wörter mit aus-, ab-, auf-, ein-, an-?

D1 12

B3 Ergänzen Sie in der richtigen Form. Hören Sie dann und vergleichen Sie.

einsteigen ● aussteigen ● zurückfahren ● aufstehen ● ankommen

1 Zuerst bin ich zu spät ....

2 Dann bin ich in den falschen Zug *eingestiegen* .... und in die falsche Richtung gefahren.

3 Beim nächsten Halt bin ich dann wieder ....

4 Eine Stunde später bin ich wieder nach Hause ....
Ich bin schließlich vollkommen fertig zu Hause ....

zuerst
dann
später
schließlich

B4 Sprechen Sie mit Ihrer Partnerin / Ihrem Partner. Fragen Sie und antworten Sie.

in den falschen Zug/Bus einsteigen ● einschlafen und zu spät aussteigen ● am Bahnhof Freunde treffen (getroffen) ● im Zug jemand kennenlernen ● Gepäck am Flughafen nicht ankommen ● ...

▲ Sind Sie schon mal in den falschen Zug eingestiegen?
● Ja, einmal. Da habe ich die Durchsage nicht gehört. Der Zug ist nach Berlin gefahren und nicht nach Hamburg.
▲ So ein Pech!

Sind Sie schon mal ...?   *Ja, einmal.*
Haben Sie schon mal ...?   *Ja, schon öfters.*
Ist Ihr Gepäck schon einmal ...?   *Nein, noch nie.*

CD 1 | 13

C1   Hören Sie noch einmal und ordnen Sie die Bilder zu: Was hat Maria erlebt?

1   **2**   **3**   **4**

2 ● Na, wie war die Reise? Erzähl doch mal!
▲ Ich bin schon um drei Uhr aufgestanden. Aber ich habe fast das Flugzeug verpasst!

☐ ● Was ist denn passiert?
▲ Auf dem Weg zum Flughafen hat der Bus ein Rad verloren.

☐ ▲ Auf der ganzen Reise habe ich nicht mal eine Tasse Kaffee bekommen.

☐ ■ Hast du denn wenigstens ein bisschen geschlafen?
▲ Ich habe es versucht, aber die Sitze waren total unbequem.

C2   **Lesen Sie das Gespräch aus C1 noch einmal und ergänzen Sie.**

verpassen	Ich habe …	.verpasst........................ .
verlieren	Der Bus hat …	....
bekommen	Ich habe …	....
versuchen	Ich habe …	....
passieren	Was ist …	.... ?

*ver*passen → *ver*pass**t**
*be*kommen → *be*kommen
*er*leben → *er*lebt
pass*ieren* → pass**iert**

> **Schon fertig?**
> Suchen Sie im Wörterbuch noch andere Wörter mit ver-, be-, er- oder -ieren.

C3   **Lesen Sie und ergänzen Sie.**

erklärt • ~~erlebt~~ • besichtigt • verstanden • passiert • vergessen • ~~bekommen~~ • diskutiert

Betreff: _____

Hallo Andi,

wir sind aus dem Urlaub zurück. Hast Du unsere Postkarte .bekommen......? Also, was wir da .erlebt... haben, Du

glaubst es nicht. Stell Dir vor, ich habe die Adresse meiner türkischen Freunde zu Hause ....!

In Istanbul haben wir der Flughafen-Polizei unsere Situation .... Aber Du weißt ja, unser Türkisch …

sie haben uns nicht richtig .... Evchen ist ruhig geblieben. Komisch! Ich war total nervös.

Wir haben dann erst einmal das Zentrum ...., haben in einem netten Café einen Kaffee

getrunken und lang .... Und jetzt kommt das Beste: Weißt Du, wer da auf einmal ins selbe

Café reinspaziert ist? Unsere Freunde! Also, so ein Zufall! Ist Dir so etwas auch schon einmal ....?

Melde dich doch mal!

Timo

> **Schon fertig?**
> Antworten Sie Timo.

C4   **Was haben Sie schon einmal vergessen oder verloren?
Machen Sie Notizen und erzählen Sie.**

> *Autoschlüssel verloren:
> – Urlaub in Berlin …*

> Ich habe einmal meinen
> Autoschlüssel verloren.
> Das war im Urlaub. …

D1   **Julias Familie: Sehen Sie den Stammbaum an und ergänzen Sie.**

Cousine ● Schwester ● Vater ● Großvater/Opa ● Tante ● Nichte ● Schwager ● Mutter

Wer ist das? *Das ist/sind Julias ...*

D2   **Rätsel: Wer ist das? Ergänzen Sie.**

Schwägerin ● Schwiegervater ● Enkelkind

Julias Mutter = die Mutter **von** Julia

a   Julia bekommt ein Kind: Ihre Eltern bekommen dann ein ....

b   Julia heiratet: Die Schwester von ihrem Mann ist dann ihre ....

c   Der Vater von Julias Ehemann ist dann ihr ....

D3   **Sprechen Sie in der Gruppe und machen Sie eine Liste. Welche Gruppe hat die meisten Geschwister, Tanten, Kinder, Nichten ... ?**

▼ Ayşen, hast du Geschwister?
● Ja, ich habe drei Brüder und zwei Schwestern. Und du?
▼ Ich habe nur einen Bruder. Und hast du eine Schwägerin?
● Ja, zwei. Nur zwei Brüder sind verheiratet.
▼ Wie viele ...

Ayşen: 2 Brüder, 2 Schwestern, ...
Julio: 1 Bruder, ...
Fatih: ...

CD 1 | 14 **E1** **Wer wohnt wo? Sprechen Sie. Hören Sie dann und ergänzen Sie.**

die Großfamilie • die alleinerziehende Mutter • der Single • die Kleinfamilie

> Im Erdgeschoss wohnen viele Leute, das ist wahrscheinlich die Großfamilie.

> Ganz oben in der Dachwohnung, im dritten Stock …

> im Erdgeschoss
> im ersten/zweiten/dritten Stock
> in der Dachwohnung

....

....

....

die Großfamilie ....

CD 1 | 14 **E2** **Was ist richtig? Hören Sie noch einmal und kreuzen Sie an.**

1 Bei Familie Giachi ist die Wohnung zu klein, weil die Großmutter manchmal zu Besuch kommt und hilft. ☐
2 Herr Aleyna ist nicht oft zu Hause, weil er viel arbeitet und oft ausgeht. ☐
3 Herr und Frau Meinhard möchten kein zweites Kind, weil die Wohnung zu klein ist. ☐
4 Sabine Würfel wohnt allein mit ihrem Sohn, weil sie von ihrem Mann getrennt lebt. ☐

E3 **Wie leben Ihre Freunde, Verwandten und Bekannten in Ihrem Heimatland und/oder in Deutschland? Erzählen Sie.**

> *seit … Jahren allein/getrennt leben*
> *zusammen mit den Großeltern/Schwiegereltern … leben*
> *(seit … Jahren) geschieden/verheiratet/ledig sein*
> *(keine) Kinder haben/wollen*
> *Das findet sie/er (nicht) gut.*
> *Das gefällt ihr/ihm (nicht).*

> Meine Cousine lebt in der Türkei. Sie ist seit zehn Jahren verheiratet. Sie hat vier Kinder. Sie lebt mit ihren Kindern, ihrem Mann und den Großeltern in einem Haus. Das findet sie gut. Ihre Schwiegermutter hilft ihr bei der Hausarbeit und spielt mit den Enkeln.

Grammatik

1 Konjunktion: *weil*

	Konjunktion		Ende
Maria kommt nach Deutschland,	weil	sie Freunde in Deutschland	hat.
Er ist sauer,	weil	er morgen	arbeiten muss.
Er ist fröhlich,	weil	sein Freund ihn	abholt.
Warum ist er müde?	Weil	er die ganze Nacht nicht	geschlafen hat.

┈┈┈▶ ÜG, 10.09

2 Perfekt: trennbare Verben

		Präfix + ge...t/en			
ab|holen	er holt *ab*	Er	hat	seinen Freund	*ab*geholt.
auf|stehen	sie steht *auf*	Maria	ist	um drei Uhr	*auf*gestanden.

┈┈┈▶ ÜG, 5.05

3 Perfekt: nicht-trennbare Verben

		Präfix + ...t/en: **ohne -*ge*-!**				
*be*kommen	sie *be*kommt	Karin	hat	die Postkarte	*be*kommen.	
*er*leben	sie *er*lebt	Maria	hat	viel	*er*lebt.	*auch so:*
*ver*stehen	sie *ver*steht	Die Polizei	hat	nichts	*ver*standen.	*emp-, ent-, ge-, zer-*

┈┈┈▶ ÜG, 5.05

4 Perfekt: Verben auf -*ieren*

		... iert: **ohne -*ge*-!**			
pass*ieren*	es pass*iert*	Was	ist		pass*iert*?
diskut*ieren*	wir diskut*ieren*	Wir	haben	lang	diskut*iert*.

┈┈┈▶ ÜG, 5.05

5 Namen im Genitiv – *von* + Dativ

Julias Mutter = die Mutter von Julia

┈┈┈▶ ÜG, 1.03

Wichtige Wendungen

von einer Reise berichten

Wie war die Reise? • Erzähl doch mal! • Was ist denn passiert? • Was hat Maria erlebt? •
zuerst – dann – später – schließlich • das Gepäck verlieren • das Flugzeug verpassen •
den Koffer auspacken • ankommen • besichtigen • einsteigen • aussteigen • zurückfahren •
Sind Sie schon mal ...? • Haben Sie schon mal ...? • Ist Ihr Gepäck schon einmal ...?

Mitgefühl/Erstaunen

So ein Pech! • So ein Zufall! • Wie peinlich! • Komisch!

Interesse wecken

Also, was wir da erlebt haben! • Du glaubst es nicht! • Stell dir vor, ... • Aber du weißt ja, ... •
Und jetzt kommt das Beste: ...

Zum Beispiel unser Lied von Onkel Willi und Tante Hanne? Wie bitte? Was meinen Sie?
Sie finden diesen Liedtext nicht so toll? Da haben Sie recht. Er passt nicht genau, weil die
Geschichten mit Onkel Willi und Tante Hanne schon lange passiert sind und nicht erst jetzt pas-
sieren. Sie müssen unseren Text also in die richtige Form bringen. Erst die Arbeit, dann das Lied!

Der Fernseher funktioniert nicht.   Der Fernseher *hat* nicht *funktioniert* .

Onkel Willi repariert ihn.   Onkel Willi .... ihn ....

Dann macht er ihn wieder an.   Dann .... er ihn wieder ....

Die Nichten und Neffen lachen laut.   Die Nichten und Neffen .... laut
....

Tante Hanne sitzt im Restaurant   Tante Hanne .... im Restaurant ....

und isst einen Fisch.   und .... einen Fisch ....

Dann passiert etwas Dummes.   Dann .... etwas Dummes ....

Onkel Willi fotografiert es.   Onkel Willi .... es ....

3

Tante Hanne zieht nach Köln um.
Onkel Willi fliegt zu ihr.
Er nimmt das falsche Flugzeug
und kommt in Hamburg an.

Tante Hanne .... nach Köln ....
Onkel Willi .... zu ihr ....
Er .... das falsche Flugzeug ....
und .... in Hamburg ....

Wir trainieren das nun dreimal
und studieren es dabei genau.
Wir fangen ganz langsam an.
Am Ende geht es schon ganz schnell.

Wir .... das nun dreimal ....
und .... es dabei genau ....
Wir .... ganz langsam ....
Am Ende .... es schon ganz schnell ....

1 **Lesen Sie den Liedtext. Ergänzen Sie dann in der richtigen Form.**

D1 15 **2** **Hören Sie das Lied und vergleichen Sie.**

D1 15 **3** **Hören Sie das Lied jetzt noch einmal und singen Sie mit.**

FOLGE 2: *WIEDER WAS GELERNT!*

1   **Sehen Sie die Fotos an und zeigen Sie.**

Müll aus Plastik ● Müll aus Papier ● Müll aus Glas ● den Hausmeister ● die Container

2   **Was meinen Sie? Kreuzen Sie an: Richtig oder falsch?**

	richtig	falsch
a Der Hausmeister		
arbeitet in einem Mietshaus oder einer Firma.	☐	☐
vermietet Wohnungen.	☐	☐
macht kleine Reparaturen.	☐	☐
sorgt für Ordnung und Sauberkeit.	☐	☐
b Müll		
ist, was man nicht mehr braucht und wegwirft.	☐	☐
muss man zu einem Amt bringen.	☐	☐
wirft man in Tonnen und die Müllmänner holen ihn ab.	☐	☐
muss man in Deutschland trennen.	☐	☐

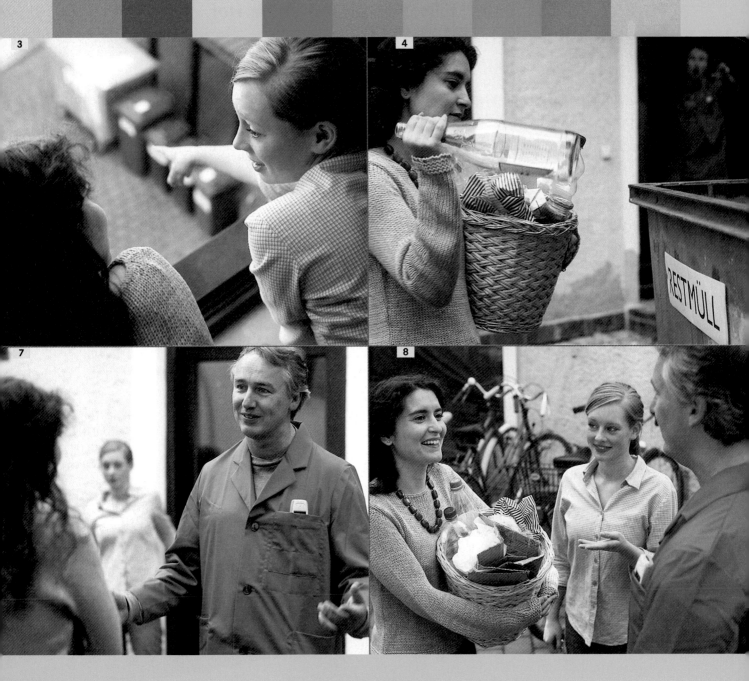

3   **Sehen Sie die Fotos an und hören Sie.**

4   **Lesen Sie den Text. Es gibt vier Fehler. Verbessern Sie die Fehler.**

Maria und Larissa richten das neue Zimmer von Larissa ein. Larissa findet, Zimmer einrichten macht Spaß. Die beiden hängen ein Bild an die Wand. Auf dem Bild ist Marias Lieblingskomponist: Mozart. Es gibt viel Müll und Maria bringt das Bild in den Hof. In Deutschland muss man den Müll trennen. Maria lernt Wolfgang Kolbeck kennen. Er ist Komponist von Beruf. Er denkt, Maria ist Spanierin. Aber sie kommt aus Südamerika. Später kommt auch Larissa in den Keller. Sie erklärt: Maria ist das Au-pair-Mädchen. Am Ende sind alle froh. Sie haben wieder was gelernt!

Maria ....

den ....

....

....

5   **Was macht man in Ihrem Heimatland mit dem Müll? Erzählen Sie.**

Bei uns muss man den Müll nicht trennen.

Wir trennen Glas.

Die Müllcontainer **stehen im Hof**.

A1 **Wo ist was? Sehen Sie noch einmal die Fotos auf Seite 18–19 an und ordnen Sie zu.**

a	Die Müllcontainer	hängt an der Wand.	ist
b	Das Bild von Mozart	stehen im Hof.	steht
c	Die Flaschen	liegt auf dem Sofa.	Wo liegt das Bild?
d	Die Decke	stehen auf dem Boden.	hängt
e	Das Handy	steckt in der Jacke.	steckt

A2 **Was passt? Ordnen Sie zu.**

stehen • hängen • stecken • liegen

.............stehen............. ....

A3 **Sehen Sie das Bild an. Fragen Sie und antworten Sie.**

Wo?

Das Buch liegt/ist auf	dem	Tisch.
	dem	Bett.
	der	Tasche.
	den	Zeitungen.

Wiederholung

auch so:

an ▲ an + dem = am

hinter

in ▲ in + dem = im

neben

über

unter

vor

zwischen

▲ Wo liegt der Teppich?
● Auf dem Boden.
◆ Wo hängt die Hose?
■ Am Schrank.

A4 **Arbeiten Sie in Gruppen. Erstellen Sie „Bilder". Die anderen beschreiben.**

Katharina steht auf dem Stuhl. Luis liegt unter dem Tisch.

Häng das Bild doch **an die Wand**!

B1 **Was sagt Larissa? Hören Sie und ordnen Sie zu.**

a Häng das Bild doch an die Wand.
b Stell deine CDs in das Regal hier.
c Die Fotos? Stell sie doch hier auf den Tisch.
d Die Bücher kannst du doch erst einmal
  neben das Bett legen.

Da kannst du sie immer anschauen.
Und morgen kaufen wir noch ein kleines
Bücherregal.
An der Wand kann man es sehr gut sehen.
In dem Regal haben sie doch noch Platz, oder?

Wohin? ──→ ●   Wo? ●
stellen ● legen ● hängen ● stecken   stehen ● liegen ● hängen ● stecken

Maria legt das Buch

	auf	den Tisch.
	neben	das Bett.
	unter	die Tasche.
	...	die Zeitungen.

Das Buch liegt

	auf	dem Tisch.
	neben	dem Bett.
	unter	der Tasche.
	...	den Zeitungen.

B2 **Was ist richtig? Kreuzen Sie an.**

A

☐ Frau Rieder hängt die Lampe an die Decke.
☐ Die Lampe hängt an der Decke.

B

☐ Frau Rieder steckt den Schlüssel ins Schloss.
☐ Der Schlüssel steckt im Schloss.

C

☐ Frau Rieder hängt die Kleider in den Schrank.
☐ Die Kleider hängen im Schrank.

D

☐ Frau Rieder stellt die Blumen auf den Tisch.
☐ Die Blumen stehen auf dem Tisch.

B3 **Hören Sie und variieren Sie.**

a ● Wo ist denn nur mein Deutschbuch?
  ▲ Legst du es nicht immer ins Regal?
  ● Doch, aber im Regal liegt es nicht.

  Varianten:
  auf – der Schreibtisch ● in – die Schublade ●
  in – das Arbeitszimmer

b ● Und meine Turnschuhe? Wo sind die?
  ▲ Stellst du sie nicht immer unter das Sofa?
  ● Doch, aber unter dem Sofa stehen sie nicht.

  Varianten:
  in – der Schrank ● in – das Schuhregal ●
  neben – die Hausschuhe

B4 **Spiel: Verstecken und Raten**

a Bilden Sie zwei Gruppen. Gruppe 1 verlässt das Zimmer.
b Gruppe 2 versteckt fünf Dinge im Zimmer und macht Notizen.
c Gruppe 1 darf zurückkommen und rät.

Merves Stift –
hinter die Tafel
...

Gruppe 2   Gruppe 1
Wo ist Merves Stift?
                    Auf dem Tisch?
Nein.
                    Hinter der Tafel?
Ja.

Merves Stift legen wir hinter die
Tafel. Ihr Deutschbuch legen wir
unter den Stuhl von Svetlana.

d Die Gruppen tauschen die Rollen.

Warten Sie einen Moment. Ich komme **raus**.

CD 1 26

C1 **Hören Sie noch einmal und ergänzen Sie.**

raus • rein • rein • runter

1

2

3

4

Dann bringe ich mal
den Müll ....

Warten Sie einen Moment.
Ich komme ......*raus*........ .

Flaschen und Gläser
gehören hier ....

Papier kommt da
....

C2 **Sehen Sie die Bilder an und sprechen Sie.**

A Kommen Sie
doch rein!

B

⇨	raus
⇦	rein
↱	rauf
↳	runter
↱	rüber

C

D

E

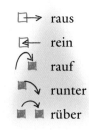

rein kommen
Kommen Sie doch rein !

C3 **Räumen Sie mit Ihrer Partnerin / Ihrem Partner auf.
Was kommt wohin? Zeigen Sie und sprechen Sie.**

Wohin kommt
die Lampe?

Da rauf. Auf
den Schreibtisch.

Und die Blumen?

Da rein. In …

Schon fertig?
Endlich aufgeräumt!
Wie sieht das Zimmer jetzt aus?

D1 Lesen Sie. Wo findet man diese Mitteilungen?

☐ In einem Mietshaus.　☐ In einer Firma.　☐ In einem Krankenhaus.

A

Sehr geehrte Hausbewohner,

aus gegebenem Anlass bitten wir Sie noch einmal, den Müll sorgfältig zu trennen. Leider liegt immer wieder anderer Abfall, z.B. Plastik, im Biomüll. Die Müllabfuhr leert falsch befüllte Mülltonnen nicht.

Vielen Dank für Ihre Mithilfe.

A. Jensen – Hausverwaltung

B

An alle Mieter der Friesenstr. 28!

In letzter Zeit stehen immer wieder Autos von Mietern des Hauses in der Hofeinfahrt. Bitte beachten Sie, dass das Abstellen der Autos in der Hofeinfahrt verboten ist. Benutzen Sie die Parkplätze vor dem Haus oder stellen Sie Ihr Auto in der Garage ab.

Mit freundlichen Grüßen

Thomas Behringer – Hausverwaltung

C

Liebe Hausbewohner,

der Hausmeister, Rudolf Albers, ist vom 18.08. bis 30.08. in Urlaub. Herr Walter Beer ist seine Vertretung. Bitte rufen Sie bei Fragen oder Problemen Herrn Beer an.

Mit freundlichen Grüßen
Ihr Vermieter Paul Heinze

D

Liebe Familien im Haus,
seien Sie bitte so nett und stellen Sie die Kinderwagen nicht vor den Aufzügen ab. Danke für Ihr Verständnis.

Ihre Nachbarin
Therese Sommer

E

Liebe Mitbewohner,

wir feiern unseren Einzug am Samstag ab 21 Uhr. Es kann also ein bisschen lauter werden. Wir hoffen, Sie haben Verständnis. Sie können auch gern mit uns feiern! Dann lernen wir uns auch gleich kennen.

Herzliche Grüße
Heike und Jürgen Hiller

F

Heizo Wärmemesser GmbH
Postfach 1165
50354 Hürth

Jahresablesung für *Friesenstr. 28*

Die Ablesung der Heizung findet statt
Datum: *10. Oktober*
Uhrzeit: *ca. 7.30 – 9.00*

Bitte entfernen Sie Möbel und Gegenstände vor den Heizkörpern. Bitte geben Sie bei Abwesenheit den Wohnungsschlüssel einem Nachbarn.

D2 Lesen Sie noch einmal und kreuzen Sie an: Richtig oder falsch?

Text	richtig	falsch
A Die Mieter trennen den Müll nicht richtig.	☐	☐
B Die Mieter sollen ihre Autos in der Hofeinfahrt parken.	☐	☐
C Die Mieter sollen bei Fragen Herrn Albers anrufen.	☐	☐
D Die Familien sollen die Kinderwagen vor den Aufzügen abstellen.	☐	☐
E Die Hausbewohner können auch zur Party kommen.	☐	☐
F Die Mieter müssen für die Heizungsablesung zu Hause sein.	☐	☐

D3 Erzählen Sie.

a Gibt es in Ihrer Heimat Hausmeister? Welche Aufgaben haben sie?
b Welche Regeln gibt es in Mietshäusern? Was darf man (nicht)? Was muss man?
c Wie gut kennen Sie Ihre Nachbarn?

In Italien gibt es auch Hausmeister. Sie heißen „portieri". Sie sitzen oft am Eingang und sehen alles.

Die Nachbarn hier sind sehr sympathisch. Wir besuchen sie oft und sie kommen oft bei uns vorbei.

Schon fertig?

Schreiben Sie eine Mitteilung für Ihr Mietshaus / Ihr Klassenzimmer.

CD 1 27   **E1**   **Lesen Sie die Briefe und hören Sie dann die Nachrichten. Was passt? Ordnen Sie zu.**

A

Liebe Frau Ebert,

die Firma Therm-Messung kommt übermorgen um 16 Uhr.
Sie wollen die Warmwasserzähler und den Heizungsverbrauch ablesen.
Sie wissen ja, ich bin da noch bei der Arbeit. Könnten Sie die Firma bitte
in meine Wohnung lassen? Das wäre sehr nett von Ihnen. Ich lege meinen
Hausschlüssel unter Ihren Fußabstreifer – wie beim letzten Mal.

Besten Dank und herzliche Grüße
Ihre Nachbarin Inge Berger

B

Liebe Petra,
wo bist Du nur? Ich habe Dich telefonisch nicht erreicht.
Ich fahre morgen weg – ein Kurztrip nach Paris. Kannst
Du bitte meine Blumen gießen? Ich werfe meinen
Hausschlüssel in Deinen Briefkasten, okay?
Ich bin am Montag wieder da. Tausend Dank für
Deine Hilfe. Gruß – Karsten

Hallo, Herr Neumann,
ich muss am Wochenende arbeiten.
Würden Sie wieder mit meinem
Hund spazieren gehen? Ich kann
ihn leider nicht zur Arbeit mitnehmen.
Ich hoffe, ich treffe Sie morgen
Abend. Dann können wir alles
besprechen.
Viele Grüße
Manuela Klose

Text	A	B	C
Nachricht			

E2   **Lesen Sie die Briefe A–C noch einmal und markieren Sie die Antworten in E1.**

A   **a** Warum kommt die Firma Therm-Messung?
     b Was soll Frau Ebert tun?
     c Wo kann Frau Ebert den Hausschlüssel
      von Frau Berger finden?

C   **a** Was soll Herr Neumann für Frau Klose tun?
     b Warum kann Frau Klose nicht selbst mit
      dem Hund spazieren gehen?

B   **a** Wohin fährt Karsten?
     b Was soll Petra für ihn tun?
     c Wie kann sie in Karstens Wohnung?

E3   **Schreiben Sie einen Brief.**

   a Antworten Sie Frau Haas.
   b Schreiben Sie Herrn Meyer.

… Frau Haas,

ich fliege … Können Sie …
Ich … Am Freitag bin ich zurück.
Besten Dank.

…

Tanja Bologova

Lieber Herr Meyer, …

übermorgen – in Urlaub fahren •
meinen Briefkasten leeren? •
Schlüssel – bringen – morgen
Abend • in einer Woche zurück

Viele Grüße …

Montag – Moskau • meine Katze
füttern • Schlüssel – Briefkasten •
Viele Grüße

Schon fertig?

Spielen Sie die Situationen.

Grammatik

1 Wechselpräpositionen

	Wo? + Dativ		Wohin? + Akkusativ	
	auf/unter …		auf/unter …	
maskulin	dem	Tisch	den	Tisch
neutral	dem	Sofa	das	Sofa
feminin	der	Tasche	die	Tasche
Plural	den	Stühlen	die	Stühle

Das Buch liegt auf dem Tisch.	Ich lege das Buch auf den Tisch.

auch so: an, hinter, in, neben, über, vor, zwischen

------> ÜG, 6.02

2 Verben mit Wechselpräpositionen

Wo? + Dativ	Wohin? + Akkusativ
stehen	stellen
hängen	hängen
liegen	legen
stecken	stecken
sein	gehören/kommen

Die Müllcontainer stehen im Hof.	Stellst du das Buch ins Regal?

------> ÜG, 6.02

3 Direktional-Adverbien

Ich komme rein / raus / runter / rauf / rüber.

▲ runter|kommen

------> ÜG, 7.02

Wichtige Wendungen

Mitteilungen an Nachbarn

Ich fahre morgen weg. / Ich muss arbeiten.
Könnten Sie meine Blumen gießen?
Können Sie die Firma … in meine Wohnung lassen?
Würden Sie mit meinem Hund spazieren gehen?
Ich werfe meinen Hausschlüssel in den Briefkasten.
Ich lege den Hausschlüssel unter den Fußabstreifer.
Seien Sie bitte so nett und stellen Sie die Kinderwagen
nicht vor den Aufzügen ab.

Hoffnung: Ich hoffe, …

Ich hoffe, ich treffe Sie morgen Abend.

Dank: Tausend Dank …

Tausend Dank für deine Hilfe.
Vielen Dank (für Ihre Mithilfe).
Danke für Ihr Verständnis.
Besten Dank.
Das wäre nett von Ihnen.

Strategien: Gemeinsames Wissen

Sie wissen ja, …

Grußformeln im Brief

Liebe/r (Herr/Frau) …
Hallo …
Viele Grüße
Herzliche Grüße
Gruß

Miteinander leben kann schön sein. Manchmal kann es auch ziemlich schwierig sein. Nehmen wir zum Beispiel ein Mietshaus. Viele Leute wohnen dort zusammen. Man hat seine eigene Wohnung. Und doch ist man nicht allein. Man hat Nachbarn und die kann man nicht auswählen. Manche findet man sympathisch, andere findet man vielleicht nicht ganz so nett. Trotzdem will man mit allen möglichst gut zusammenleben. Dafür kann man viel tun: mit den Nachbarn sprechen, sie verstehen, ihnen helfen …

Aufzug im Brandf
nicht benutzen

CD 1 28-31

1 Gespräche im Mietshaus

a Hören Sie die Gespräche und ordnen Sie die Bilder zu.

	Bild
Gespräch 1	☐
Gespräch 2	☐
Gespräch 3	☐
Gespräch 4	☐

b Wer hat welches Problem? Kreuzen Sie an.

	Briefkasten kaputt	Schlüssel vergessen	Aufzug kommt nicht	Heizung funktioniert nicht
Herr Basso	☐	☐	☐	☐
Herr Dolezal	☐	☐	☐	☐
Frau Weiß	☐	☐	☐	☐
Frau Budanov	☐	☐	☐	☐

2   **Lesen Sie die Sätze. Welche anderen Probleme im Mietshaus kennen Sie?**

Das Treppenhaus ist nicht sauber genug.

Jemand hört zu laut Musik.

Jemand ist krank. Wer kauft für ihn ein?

...

3   **Wählen Sie ein Problem aus Übung 2. Spielen Sie Gespräche und suchen Sie dabei nach einer Lösung.**

● Entschuldigen Sie, Frau Kramer. Ihre Musik ist ganz schön laut.

▲ So? Finden Sie?

● ...

FOLGE 3: *TEE ODER KAFFEE?*

1   **Sehen Sie Foto 2 an. Was meinen Sie? Kreuzen Sie an.**

a ☐ Maria schläft noch.   ☐ Sie ist schon wach.

b ☐ Sie ist noch sehr müde.   ☐ Sie ist fit.

c ☐ Sie steht am Wochenende gern früh auf.   ☐ Sie möchte am Wochenende ausschlafen.

2   **Sehen Sie Foto 6 und 7 an.**

a Was macht die Familie?

b Was gibt es zu essen und zu trinken?

CD 1 32-39   **3**   **Sehen Sie die Fotos an und hören Sie.**

4 Was ist richtig? Ergänzen Sie.

Am Sonntag frühstückt die Familie zusammen. Simon soll Maria wecken. Aber Maria ist noch sehr müde. Sie denkt, die Familie schläft sonntags viel zu _kurz_ (lange • kurz). Sie möchte lieber .... (ausschlafen • früh aufstehen). Und dauernd fragt jemand, was sie frühstücken möchte, zum Beispiel: Soll ihr Ei weich oder hart sein? Das findet Maria sehr komisch. Für sie ist es wie .... (zu Hause • im Restaurant). Kurt war sogar schon beim Bäcker: Viele Bäckereien haben am Sonntag .... (geschlossen • geöffnet). Wer Nussschnecken möchte, muss .... (früh • spät) kommen. Maria sieht den Frühstückstisch und ist sehr erstaunt: Die Familie frühstückt am Sonntag sehr .... (viel • wenig). Es gibt viele leckere Sachen, nur der Kaffee schmeckt Maria .... (sehr gut • gar nicht).

5 Wie finden Sie das Frühstück in Deutschland und wie frühstückt man in Ihrer Heimat?

Der Kaffee in Deutschland ist sehr gut, finde ich.   Das finde ich nicht.

A1   Wie oft trinken Maria und die Familie Kaffee? Hören Sie und kreuzen Sie an.

	100 % immer	meistens	oft	manchmal	selten	0 % nie
Maria		x				
Larissa						
Kurt						
Simon						
Susanne früher						
Susanne heute						

Wie oft?
immer
meistens
oft
manchmal
selten
nie

A2   Was essen und trinken die Personen? Lesen Sie und markieren Sie in drei Farben.

blau = Welche Mahlzeit?   rot = Was essen/trinken die Personen?
grün = Wie oft essen/trinken die Personen das?

Morgens essen wie ein Kaiser, mittags wie ein König und abends wie ein Bettelmann. Stimmt das?

Wir haben nachgefragt und stellen zwei Personen und ihre Essgewohnheiten vor.

Hermann, 50, Bauarbeiter
„Ich fange schon um sechs mit der Arbeit an. Meine erste Mahlzeit ist in meiner Frühstückspause um neun oder halb zehn.
5 Da esse ich oft ein Brot mit Käse oder Wurst und trinke das erste Bier." Gesundes Essen ist nicht wichtig, findet er. Hauptsache, es schmeckt. „Mittags gehen die Kollegen und ich zu einer Imbissbude. Ich hole mir fast immer ein Hähnchen mit Pommes. Das
10 ist mein Lieblingsessen. Ganz selten kaufe ich mir auch einen Salat dazu." Zum Glück kocht seine Frau am Abend für ihn. „Man muss auch etwas Vernünftiges essen", meint sie. „Also koche ich am Abend sehr oft Gemüse und Reis, Kartoffeln oder
15 Nudeln. Fleisch gibt es abends nur manchmal."

So Hyung, 33, Kinderpflegerin
So Hyung ist vor fünf Jahren nach Deutschland gekommen. In Deutschland gefällt es ihr sehr gut. Nur essen möchte sie nicht wie die Deutschen. „Bei uns isst man schon 20 zum Frühstück etwas Warmes: Reis oder eine Suppe. Das mache ich hier in Deutschland auch. Brot, das ist nichts für mich. Auch mittags esse ich meistens Reis und Gemüse und auch beim Abendessen ist immer Reis dabei." Und was gefällt So Hyung an der 25 europäischen Küche? „Der Kuchen. In Korea gibt es nicht so viele verschiedene Torten und Kuchen. Eine deutsche Freundin hat mir gezeigt, wie man Kuchen backt. Herrlich!"

30

A3   Machen Sie für beide Personen eine Tabelle.

Hermann

Welche Mahlzeit?	Wie oft?	Was?
zum Frühstück / in der Frühstückspause	oft	Brot mit ...
zum Mittagessen		
zum Abendessen		

zum Frühstück   immer = 100%
zum Mittagessen   fast immer ≈ 95–99%
zum Abendessen   fast nie ≈   1–5%
                         nie =   0%

A4   Ihre Mahlzeiten: Fragen Sie Ihre Partnerin / Ihren Partner und machen Sie Notizen.

▲ Was isst du zum Frühstück?
● Also, ich esse nichts. Aber ich trinke fast immer zwei Tassen Kaffee und ...

Nasseer:
Frühstück: isst nichts
fast immer
2 Tassen Kaffee

Schon fertig?
Schreiben Sie einen kurzen Text wie in A2.

CD 1 40

B1 Hören Sie und ergänzen Sie.

~~welche~~ • eine • einen • eins

A Manchmal gibt es schon um acht Uhr keine Nussschnecken mehr. Aber hier: Ich habe noch ..*welche*.. bekommen.

B Tut mir leid, Larissa. Ich habe keine Brezel bekommen. Ich bringe dir das nächste Mal .... mit, okay?

C Wir brauchen ein Vollkornbrot. Bringst du bitte .... mit? Und ich hätte gern einen Schokoladenkuchen. Vielleicht hat der Bäcker noch ....!

Ich brauche	einen	Schokoladenkuchen.	Ich habe noch	einen	bekommen.
	ein	Vollkornbrot.		eins	
	eine	Brezel.		eine	
	—	Nussschnecken.		welche	

auch so: keinen, keins, keine; ▲ keine

B2 Hören Sie und variieren Sie.

◆ Ich brauche einen Löffel. Bringst du mir bitte einen?
▼ Hier ist doch schon einer.

der Löffel	→ Hier ist	einer.
das Messer	→	eins.
die Gabel	→	eine.
die Eier	→ Hier sind	welche.

auch so: keiner, keins, keine; ▲ keine

Varianten:

(das) Messer   (die) Gabel   (die) Schüssel   (der) Teller   Eier   Nüsse

B3 Spiel: Küchen-Quartett

a Machen Sie 16 Quartettkarten mit:

der Topf – die Schüssel – die Kanne – die Pfanne
das Messer – die Gabel – der Esslöffel – der Teelöffel
der Bierkrug – die Tasse – das Glas – der Becher
der Herd – der Kühlschrank – die Spülmaschine – die Mikrowelle

b Verteilen Sie die Karten und spielen Sie zu dritt oder zu viert.

▲ Ich brauche einen Topf. Hast du einen?
● Ja, hier bitte. / Nein, tut mir leid, ich habe auch keinen.
Ich brauche eine Tasse. Hast du eine? ...

c Die Spielerin / Der Spieler mit den meisten Quartetten hat gewonnen.

CD 1 43

C1 **Hören Sie, lesen Sie und ordnen Sie die Bilder zu.**

A  **B**  **C**  **D**

☐ ▲ Kann ich bitte bestellen?
● Ja bitte?
▲ Einen Rinderbraten und eine Apfelschorle, bitte.
● Ja, gern. Kommt sofort.

☐ ■ Verzeihen Sie, der Salat ist nicht frisch.
Und außerdem ist zu viel Essig drin.
● Oh, das tut mir leid. Ich bringe Ihnen
sofort einen neuen.
■ Danke. Sehr nett.

☐ ■ Hallo, zahlen, bitte!
◆ Zusammen oder getrennt?
■ Getrennt, bitte. Ich zahle eine Portion
Nusseis und ein Kännchen Kaffee.
◆ Das macht 6,20 Euro, bitte.
▼ Und ich hatte einen Tee mit Zitrone.
◆ 1,90 Euro, bitte.
▼ Hier bitte. Stimmt so.

☐ ● Entschuldigung, ist der Platz noch frei?
◆ Aber sicher. Setzen Sie sich doch.

C2 **Was passt wo? Ordnen Sie.**

Haben Sie schon bestellt? – Nein, noch nicht. ● Zahlen, bitte. ● Der Salat ist nicht mehr frisch. – Oh,
das tut mir leid. Ich bringe einen neuen. ● Die Rechnung, bitte. ● Die Karte, bitte. ●
Ist hier noch frei? ● Ich möchte bestellen, bitte. ● Die Suppe ist zu kalt. ● Ich möchte bitte bezahlen. ●
Nein, tut mir leid. Der Platz ist besetzt. ● Ich nehme/möchte einen Schweinebraten. ●
Zusammen oder getrennt? ● Getrennt, bitte. ● Aber sicher. Nehmen Sie doch Platz. ●
Das macht 19,20 Euro. ● Zusammen. ● Hier bitte. Stimmt so. ● Eine Gemüsesuppe, bitte.

bestellen	bezahlen	reklamieren	einen Sitzplatz suchen
Haben Sie schon bestellt? – Nein, noch nicht.	*Zahlen, bitte.*		

C3 **Rollenspiel: Wählen Sie eine Situation und spielen Sie im Kurs.**

bestellen – Gast
Sie möchten ein Schnitzel.

bestellen – Kellner
Schnitzel gibt es nicht mehr.
Es gibt noch Rinderbraten.

bezahlen – Gast
Sie haben ... gegessen.
Geben Sie Trinkgeld.

bezahlen – Kellner
Das Gericht kostet ...

reklamieren – Gast
Sie haben ... bestellt,
aber ... bekommen.

reklamieren – Kellner
Es tut Ihnen leid.
Sie bringen sofort ...

einen Sitzplatz suchen – Gast 1
Das Restaurant ist sehr voll.
Es gibt keine freien Tische.
Fragen Sie einen Gast nach einem Platz.

einen Sitzplatz suchen – Gast 2
Sie können leider keinen Sitzplatz
anbieten. ... kommen noch.

D1 Hören Sie einen Ausschnitt aus einem Lied von *Herbert Grönemeyer*.

a Was meinen Sie: Wie heißt das Lied?
☐ Currywurst
☐ Hunger

b Haben Sie schon einmal eine Currywurst gegessen? Ja? Wo? Wie hat sie Ihnen geschmeckt?

D2 Lesen Sie den Text. Beantworten Sie die Fragen.

a Lesen Sie die Zeilen 1–19. Was ist ein typisch deutscher Imbiss? Kreuzen Sie an.
☐ Ein Käse- oder Schinkenbrötchen.   ☐ Ein Hamburger.   ☐ Eine Wurst.

b Lesen Sie dann die Zeilen 20–29. Notieren Sie.
Wie kann man Wurst essen? *gekocht,* ....
Was für ein Gericht ist Currywurst? *Eine Bratwurst mit* ....

c Lesen Sie den Text bis zum Ende und kreuzen Sie an. Was ist richtig?
■ Der Bundeskanzler   ☐ ist der Regierungschef.   ☐ hat eine Imbissbude.
■ „Konnopke"   ☐ ist eine berühmte Imbissbude   ☐ ist ein Restaurant
                       in Berlin.   für Regierungschefs.

Currywurst

Sollen wir es „Fast Food" nennen? Natürlich nicht! Wir haben doch ein wunderbares eige-
5 nes Wort für die schnelle Mahlzeit. In Deutschland sagen wir „Imbiss" dazu.
Einen Imbiss holt man beim Metzger (Fleischer),
10 beim Bäcker, an der Imbissbude oder am Kiosk. Dort bekommt man zum Beispiel Käse-, Salami- oder Schinkenbrötchen.
Typisch deutsch ist das nicht. Sandwiches gibt es schließlich in vielen Ländern, genau wie Hamburger
15 oder Cheeseburger. Wurst dagegen – ja, das ist wirklich deutsch! Nirgendwo auf der Welt gibt es so viele unterschiedliche Wurstarten wie bei uns: Frankfurter, Pfälzer, Weißwurst, Fränkische, Bockwurst, Regensburger und tausend andere Sorten.
20 Die meisten Deutschen lieben Wurst. Sie essen sie gekocht oder gebraten, mit Ketchup oder scharfem Senf. Dazu gibt es ein Brötchen, Sauerkraut, Kartoffelsalat oder Pommes frites.
Auch unsere Musik beschäftigt sich immer wieder mit der deutschen Lieblingsspeise. Der Popsänger Herbert 25 Grönemeyer liebt Currywurst und widmet ihr einen ganzen Song. Currywurst? Eine weiße oder rote Bratwurst, in Stücke geschnitten, darüber kommt Ketchup und Currypulver.
Kein besonders raffiniertes Gericht, finden Sie? Das 30 kann sein, aber unser Ex-Bundeskanzler Gerhard Schröder isst nichts anderes so gern. Er meint, die beste Currywurst gibt es bei „Konnopke". So heißt eine traditionelle Imbissbude im Osten Berlins. Konnopkes Soße wird seit Jahrzehnten nach einem 35 geheimen Rezept hergestellt und schmeckt einfach himmlisch. Wenn Sie mal nach Berlin kommen, fahren Sie in die Schönhauser Allee zu „Konnopke" und probieren Sie es selbst. Wer weiß, vielleicht treffen Sie dabei ja unseren ehemaligen Regierungschef? 40

D3 Essen Sie gern Fast Food? Was essen Sie? Erzählen Sie.

> *Wir haben auch Fast Food, zum Beispiel ...*
> *Ich esse gern scharf, zum Beispiel Chili con carne. Das ist ein Bohnengericht aus Lateinamerika.*
> *Wurst mag ich nicht. Die ist mir zu fett. Aber manchmal esse ich ...*

Schon fertig?
Unterstreichen Sie alle Wörter zum Thema „Essen."

süß

scharf

salzig

fett

sauer

E1 **Sehen Sie das Foto an.**

Was zeigt es? Sprechen Sie.

Abend • Besuch • Einladung / einladen • Gast • Gastgeber/in • mitbringen • Essen • ...

Es ist Abend. Ein Paar ...

CD 1 | 45 **E2** **Hören Sie eine Radiosendung. Auf welche Fragen bekommen Sie eine Antwort? Kreuzen Sie an.**

Wie pünktlich muss man kommen? ☐
Darf man seine Freunde mitbringen? ☐
Was soll man mitbringen? ☐
Wie viel kann oder muss man essen? ☐
Darf man nach dem Essen rauchen? ☐
Wann kann oder muss man nach Hause gehen? ☐

CD 1 | 45 **E3** **Hören Sie noch einmal. Was ist richtig? Kreuzen Sie an.**

a 30 Minuten zu spät bei einer Einladung zum Essen – das ist nicht sehr höflich. ☐
b Bringen Sie als Geschenk immer Blumen mit. ☐
c Sie machen eine Diät oder es schmeckt Ihnen etwas nicht. Kein Problem: Sagen Sie das einfach beim Essen. ☐
d Bleiben Sie nicht zu lange. Aber gehen Sie auch nicht sofort nach dem Essen nach Hause. ☐

E4 **Sprechen Sie über die Radiosendung.**

Eine halbe Stunde zu spät kommen – das ist nicht höflich? Bei uns ist das anders. Da ist das ganz normal. Man kann auch eine Stunde zu spät kommen.

Das finde ich interessant/seltsam.
Bei uns gibt es das auch/nicht.
Bei uns ist das genauso/anders.

E5 **Sehen Sie die Bilder an. Welches Gespräch passt? Ordnen Sie zu.**

A  B  C  D

☐ ● Hm, das sieht aber lecker aus. Und es riecht so gut.
   ▲ Darf ich dir Fleisch und Soße geben?
   ● Ja, gern. Danke.

☐ ▲ So, jetzt müssen wir aber gehen.
   ▼ Schon? Bleibt doch noch ein bisschen.
   ▲ Tut mir leid, aber wir müssen wirklich nach Hause. Ich muss morgen schon ganz früh aufstehen.
   ▼ Na schön. Kommt gut nach Hause.

☐ ◆ Hallo, da seid ihr ja. Kommt rein.
   ● Danke. Hier: Die sind für dich!
   ◆ Oh! So schöne Blumen. Das ist aber nett!

☐ ◆ Möchtest du noch, Renate?
   ● Nein danke. Ich kann nicht mehr. Aber es hat super geschmeckt. Wirklich sehr, sehr lecker!
   ◆ Danke. Das freut uns.

E6 **Rollenspiel: Wählen Sie eine Situation und spielen Sie.**

Ihre deutschen Freunde besuchen Sie zu Hause. Bitten Sie sie herein. Bieten Sie etwas an.

Sie sind bei Ihrer deutschen Freundin. Das Essen hat sehr gut geschmeckt. Sie müssen morgen früh aufstehen. Verabschieden Sie sich.

Grammatik

---

1 Indefinitpronomen: Nominativ

maskulin	der Löffel	Hier ist	einer.
neutral	das Messer	Hier ist	eins.
feminin	die Gabel	Hier ist	eine.
Plural	die Eier	Hier sind	welche.

auch so: keiner, keins, keine; ▲ keine

······▶ ÜG, 3.03

2 Indefinitpronomen: Akkusativ

maskulin	den Schokoladenkuchen	Ich habe noch	einen	bekommen.
neutral	das Vollkornbrot		eins	
feminin	die Brezel		eine	
Plural	die Nussschnecken		welche	

auch so: keinen, keins, keine; ▲ keine

······▶ ÜG, 3.03

Wichtige Wendungen

---

private Einladung

Das sieht aber lecker aus. / Es hat super geschmeckt. /
Sehr, sehr lecker.   Danke, das freut mich.
Die Blumen sind für dich!   Oh! So schöne Blumen. Das ist aber nett.
Möchtest du noch? / Darf ich dir ... geben? Ja, gern. / Nein danke. Ich kann nicht mehr. /
Jetzt müssen wir leider gehen.   Bleibt doch noch ein bisschen. / Na schön.
                                      Kommt gut nach Hause.

im Restaurant: bestellen

Haben Sie schon bestellt?   Nein, noch nicht.
Die Karte, bitte.   Hier, bitte. / Ja, bitte!
Ich möchte bestellen, bitte.   Bitte schön?
Ich nehme / möchte ...   Ja, sofort.

im Restaurant: bezahlen

Zahlen, bitte.
Die Rechnung, bitte.
Ich möchte bezahlen, bitte.   Zusammen oder getrennt?
Zusammen. / Getrennt.   Das macht ...
Hier bitte. Stimmt so.

im Restaurant: einen Platz suchen

Ist hier noch frei?   Aber sicher. Nehmen Sie (doch) Platz. / Setzen Sie sich doch!
Ist der Platz noch frei? Nein, tut mir leid. Der Platz ist besetzt.

im Restaurant: reklamieren

... ist nicht frisch / ist (zu) kalt.   Oh, das tut mir leid. Ich ...

Lübecker Marzipan

Berliner

Bremer Klaben

Aachener Printen

Dresdner Stollen

Frankfurter Kranz

Nürnberger Lebkuchen

Linzer Torte

Basler Leckerli

Salzburger Nockerln

Lübeck

Bremen

Deutschland

Berlin

Dresden

Aachen

Frankfurt

Nürnberg

Basel

Linz

Salzburg

Schweiz

Österreich

---

1 **Sehen Sie die Fotos an.**

Welche Spezialität kennen Sie? Kennen Sie noch andere?

2 **Lesen Sie die Texte. Bilden Sie Gruppen und suchen Sie eine Spezialität aus.**

a Suchen Sie das Rezept dazu im Internet.
b Suchen Sie mehr Informationen zu der Stadt.
c Präsentieren Sie Ihre Ergebnisse im Kurs.

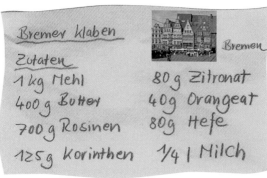

Bremer Klaben

Bremen

Zutaten

1 kg Mehl
400 g Butter
700 g Rosinen
125 g Korinthen

80 g Zitronat
40 g Orangeat
80 g Hefe
1/4 l Milch

Sie lieben Süßes und möchten trotzdem fit bleiben? Tja, da gibt es viele gute Tipps. Wollen Sie unseren hören? Kommen Sie nicht nach Deutschland, nach Österreich oder in die Schweiz. Diese drei Länder machen nämlich dick. Was? Das glauben Sie nicht? Na schön, testen Sie es selbst! Fahren Sie mit uns von Norden nach Süden, probieren Sie von allen süßen Spezialitäten je 100 Gramm und zählen Sie am Ende die Kalorien zusammen.

Lübeck. Die Stadt an der Ostsee hat 214.000 Einwohner und ist die Heimat des berühmten ‚Lübecker Marzipans'. `450 kcal`

Bremen ist eine Großstadt mit 540.000 Einwohnern und Deutschlands kleinstes Bundesland. Der ‚Bremer Klaben' ist eine Art süßes Brot. `400 kcal`

Berlin. Nicht nur die 3,4 Millionen Einwohner der deutschen Hauptstadt sind ‚Berliner'. Auch ein bekanntes Gebäck mit Marmeladenfüllung heißt so. `320 kcal`

Aachen ist die westlichste Großstadt Deutschlands und hat 260.000 Einwohner. Hier probieren wir ‚Aachener Printen', eine Art Lebkuchen. `450 kcal`

Dresden hat 490.000 Einwohner und ist die Hauptstadt des ostdeutschen Bundeslandes Sachsen. ‚Dresdner Stollen' ist ein schweres Weihnachtsgebäck. `410 kcal`

Frankfurt am Main hat 650.000 Einwohner und ist die wichtigste Bankenstadt auf dem europäischen Kontinent. ‚Frankfurter Kranz' ist ein beliebter Kuchen mit viel fetter Creme. `360 kcal`

Nürnberg. Die zweitgrößte bayerische Stadt hat eine halbe Million Einwohner und eine wunderschöne alte Burg. ‚Nürnberger Lebkuchen' kennt in den deutschsprachigen Ländern jedes Kind. `400 kcal`

Achtung, wir kommen nun nach Österreich, ins Mutterland der Süßspeisen, Nachspeisen, Kuchen und Torten. Denken Sie nur an die weltberühmte Sachertorte aus Wien! Das klingt nicht nach Diät, oder?

Linz. Auch die oberösterreichische Landeshauptstadt (190.000 Einwohner) hat eine süße Spezialität: die ‚Linzer Torte'. `460 kcal`

Jetzt geht es in die Schweiz. Nirgends findet man eine bessere Schokolade. Aber in dem schönen Alpenland gibt es auch noch andere ‚gefährliche' Süßigkeiten. Zum Beispiel in Basel.

Salzburg ist die Geburtsstadt von Wolfgang Amadeus Mozart und hat heute etwa 150.000 Einwohner. Hier probieren wir die leckeren ‚Salzburger Nockerln', eine Süßspeise aus Zucker und Ei. `210 kcal`

Mit 170.000 Einwohnern ist **Basel** die drittgrößte Stadt der Schweiz. Von hier kommen die ‚Basler Leckerli', eine Art Lebkuchen mit viel Honig und Nüssen. `430 kcal`

3 **Und bei Ihnen? Welche süßen Spezialitäten gibt es bei Ihnen? Sprechen Sie.**

> Bei uns in … gibt es … .
> Ich weiß auch, wie man das macht.

FOLGE 4: *LOHNSTEUERKARTE*

1   **Lohn und Steuern: Ordnen Sie zu.**

1 Der Steuerberater: Er hilft bei der Steuererklärung. Dafür braucht er die Lohnsteuerkarte.
2 Der Lohn: Man arbeitet. Für die Arbeit bekommt man Geld. Das ist der Lohn.
3 Das Finanzamt: An diese Behörde schickt man die Steuererklärung und zahlt Steuern.
4 Die Lohnsteuerkarte: Hier trägt der Arbeitgeber den Lohn und die Steuern für ein Jahr ein.
5 Die Steuererklärung: Hier schreibt man alle Informationen für das Finanzamt hinein.

CD 1 46-53   **2**   **Sehen Sie die Fotos an und hören Sie.**

3 Was ist richtig? Kreuzen Sie an.

a	Was sucht Susanne?	☒ Die Lohnsteuerkarte.	☐ Die Steuererklärung.
b	Und warum?	☐ Sie muss sie dringend an ihren Arbeitgeber schicken.	☐ Weil sie sie beim Steuerberater abgeben muss.
c	Warum ruft sie Kurt an?	☐ Er hat versprochen: „Ich suche die Lohnsteuerkarte."	☐ Er soll nach Hause kommen.
d	Warum ruft sie in der Apotheke an?	☐ Sie kann erst später zur Arbeit kommen.	☐ Sie kann nicht zur Arbeit kommen. Sie ist krank.
e	Warum ruft sie im Finanzamt an?	☐ Weil sie einen Steuerberater braucht.	☐ Weil sie die Frist für die Steuererklärung verlängern möchte.
f	Was möchte Maria Susanne sagen?	☐ Die Lohnsteuerkarte ist schon beim Steuerberater.	☐ Der Steuerberater braucht dringend die Lohnsteuerkarte.

4   A

Wenn ich nachts Taxi fahren muss,
dann bin ich tagsüber eben müde.

CD 1 54

A1   Ordnen Sie zu. Hören Sie dann noch einmal und vergleichen Sie.

a	Wenn ich nachts Taxi fahren muss,	dann gibt es Ärger mit dem Finanzamt.
b	Wenn man etwas verspricht,	dann bin ich tagsüber eben müde.
c	Wenn ich die Lohnsteuerkarte nicht finde,	dann muss man es auch halten!
d	Wenn Herr Obermeier die Lohnsteuerkarte nicht hat,	kann er die Steuererklärung nicht machen.

Wenn ich nachts Taxi fahren muss, (dann) *bin ich* tagsüber eben müde.

CD 1 55

A2   Lust auf den Job? Hören Sie. Kreuzen Sie an: Richtig oder falsch?   richtig   falsch

- **a** Kurt ist Taxifahrer. Er arbeitet manchmal tagsüber und manchmal nachts. ☐ ☐
- **b** Er ist nachmittags nicht zu Hause, wenn Susanne arbeitet. ☐ ☐
- **c** Wenn er interessante Fahrgäste hat, macht ihm das Taxifahren Spaß. ☐ ☐
- **d** Es stört ihn nicht, wenn ein Kunde betrunken ist. ☐ ☐
- **e** Susanne arbeitet Teilzeit in einer Apotheke. ☐ ☐
- **f** Wenn das Baby da ist, will sie für drei Monate nur stundenweise arbeiten. ☐ ☐
- **g** Wenn sie in der Apotheke Kunden Tipps geben kann, macht ihr die Arbeit besonders Spaß. ☐ ☐
- **h** Sie ist nicht müde, wenn sie nach Hause kommt. ☐ ☐

Wenn das Baby da ist, *will sie* nur stundenweise arbeiten.
Sie will nur stundenweise arbeiten, wenn das Baby da ist.

A3   Der erste Arbeitstag. Sprechen Sie.

> Wenn Sie morgens kommen, ziehen Sie bitte immer Ihren Arbeitsanzug an.

> Ja, in Ordnung.

> Schalten Sie bitte die Geräte aus, wenn Sie abends nach Hause gehen.

> Ja, klar.

Wenn ...,	(dann) ...
morgens kommen	immer Ihren Arbeitsanzug anziehen
abends nach Hause gehen	bitte die Geräte ausschalten
	alle Werkzeuge wegräumen
	bitte die Fenster schließen
Material brauchen	mich fragen können
zum Arzt gehen müssen	das bitte außerhalb der Arbeitszeit machen
krank sein	bitte die Sekretärin anrufen
Fragen oder Probleme haben	immer zu mir kommen können
zu viele Überstunden haben	bitte den Chef informieren

> **Schon fertig?**
> Schreiben Sie eine Liste wie in A3 für Ihren Arbeitsplatz.

A4   Spiel

Bilden Sie Gruppen und notieren Sie zehn „wenn-Sätze" zum Thema „Arbeit und Beruf".
Schneiden Sie Ihre Sätze in zwei Teile.
Geben Sie sie einer anderen Gruppe. Sie muss die Sätze wieder zusammensetzen.

B1   **Mit wem spricht Kurt? Ordnen Sie die Bilder zu.**

A    B    C   D

☐ Du solltest nicht immer gleich so ein Theater machen.
☐ Ihr solltet nicht so viel streiten!
☐ Sie sollten unbedingt das Deutsche Museum ansehen.
☐ Du solltest lieber die Hausaufgaben machen.

du	solltest	
ihr	solltet	das Museum ansehen
Sie	sollten	

B2   **Ihre Partnerin / Ihr Partner sucht einen Job. Geben Sie Tipps.**

> ### Checkliste für Jobsucher
>
> ■ Lesen Sie jede Woche den Stellenmarkt in der Zeitung.
> ■ Achten Sie auf Zettel und Anzeigen in Kaufhäusern und Supermärkten.
> ■ Geben Sie acht auf Anzeigen in Bussen und in der U-Bahn.
> ■ Fragen Sie Verwandte, Bekannte, Freunde, Nachbarn.
> ■ Schauen Sie regelmäßig ins Internet (www.jobs.de / www.arbeitsagentur.de / ...).
> ■ Gehen Sie ins BIZ (Berufsinformationszentrum) in der Agentur für Arbeit.
> ■ Gehen Sie zum Berufsberater.
> ■ Gehen Sie zu Zeitarbeitsfirmen.

> Wenn du eine Arbeit suchst, (dann) solltest du jede Woche ...

> Du solltest auf Zettel ...

> **Schon fertig?**
> Finden Sie weitere Tipps.

B3   **Hören Sie und variieren Sie.**

▲ Klaus, entschuldige, ich habe kein Handy.
Kann ich deins kurz haben?
● Ja, klar, aber vielleicht solltest
du dir selbst mal eins kaufen.

	Kann ich	...	haben?
den	einen	→	deinen
das	eins	→	deins
die	eine	→	deine
die	welche	→	deine

auch so: mein-, sein-, ihr-, unser-, euer-, ihr-, Ihr-

Varianten:
(das) Feuerzeug ● (der) Kugelschreiber ● (die) Tasse ● (die) Stifte

B4   **Ratschläge**

Arbeiten Sie in kleinen Gruppen. Geben Sie den beiden Herren gute Ratschläge.
Gewinner: Wer in fünf Minuten die meisten Ratschläge gefunden hat.

A    B

> Sie sollten ...

> Du solltest ...

4 | **C** | Ist der Chef **schon** im Haus? – Nein, der ist **noch nicht** da.

CD 1 57 | **C1** | **Ordnen Sie das Gespräch. Hören Sie dann noch einmal und vergleichen Sie.**

☐ Ich kann heute nämlich erst später zur Arbeit kommen, weil ...
1 Ist der Chef schon im Haus?
☐ Nein, der ist noch nicht da. Soll er Sie zurückrufen, wenn er kommt?
☐ Natürlich, gern, Frau Weniger.
☐ Äh, nein. Aber vielleicht können Sie ihm etwas ausrichten?

schon
←→
noch nicht

C2 | **Schreiben Sie ein Telefongespräch.**

● Hallo. Hier ... Ist der Chef / die Chefin ...?
▲ Nein, der/die ist ... Soll er/sie ...?
● Nein, aber können Sie ihm/ihr ...?
▲ Ja ...
● Ich kann heute nicht zur Arbeit kommen, weil ...

etwas ausrichten ●
noch nicht da ●
schon im Haus ●
zurückrufen ● ...

Schon fertig?
Spielen Sie
das Gespräch.

CD 1 58 | **C3** | **Hören Sie die Telefongespräche und ergänzen Sie.**

Durchwahl ● ausrichten ● sprechen ● später noch einmal ● auf Wiederhören ●
verbinden ● noch nicht ● außer Haus

1 ● Firma Kletz, Meier, guten Tag.
▲ Guten Tag, hier ist Schmidt.
Könnten Sie mich bitte mit Herrn Kraus ....?
● Tut mir leid, der ist gerade nicht am Platz. Kann ich ihm etwas ....?
▲ Nein danke. Ich versuche es später noch einmal.
● Gut, dann auf Wiederhören.

2 ■ Grüß Gott. Fehr hier. Kann ich bitte Herrn Burli aus der Exportabteilung ....?
▼ Tut mir leid, der ist leider gerade ....
■ Ist denn sonst jemand aus der Abteilung da?
▼ Nein, da ist im Moment niemand da. Es ist gerade Mittagspause.
Können Sie vielleicht .... anrufen? So gegen 14 Uhr?
■ Ja gut, ...

jemand
←→
niemand

3 ◆ Guten Tag, hier ist Müller. Können Sie mich bitte mit Frau Huber verbinden?
■ Die ist leider .... da. Kann ich etwas ausrichten?
◆ Nein danke, nichts. Aber geben Sie mir doch bitte ihre ....
■ Ja gern, das ist die 274.
◆ Vielen Dank. Also dann, ...

etwas
←→
nichts

C4 | **Rollenspiel: Spielen Sie Telefongespräche.**

Anrufer/in	Firma
Sie wollen Frau ... sprechen. Sie rufen später noch einmal an.	Frau ... nicht da. ... etwas ausrichten?
Herrn ... aus der Export-Import-Abteilung oder sonst jemanden aus der Abteilung	Herr ... nicht da niemand sonst da – bitte später anrufen
bitte mit Frau ... verbinden – Durchwahl geben	Frau ... außer Haus – Durchwahl: 253

D1 Überfliegen Sie die Texte. Welcher Betreff passt zu welchem Text? Ordnen Sie zu.

	Text A	Text B	Text C	Text D	Text E
1 Gewerkschaft – für mehr Sicherheit und Schutz	☐	☐	☐	☐	☐
2 Stellenangebote	☐	☐	☐	☐	☐
3 Einladung zu meiner Abschiedsfeier	☐	☐	☐	☐	☐
4 Neuer Betriebsrat gewählt	☐	☐	☐	☐	☐
5 Zur Erinnerung: Letzter Termin ist der 15. Februar.	☐	☐	☐	☐	☐

A

Liebe Kolleginnen und Kollegen,

von einigen Mitarbeitern fehlen noch die Lohnsteuerkarten. Bitte geben Sie sie bis zum oben genannten Datum im Personalbüro ab.

Mit freundlichen Grüßen
Anke Neufeld

B

Liebe Kolleginnen und Kollegen,

nun arbeite ich schon über 40 Jahre in unserer Firma. Aber jetzt bin ich 65 und gehe in Rente. Aus diesem Anlass möchte ich gern

am 24. 06. ab 16 Uhr
in der Kantine mit Ihnen / Euch feiern und auf das Leben als Rentner anstoßen.

Es war schön, mit Ihnen / Euch in der Firma zu arbeiten!
Ich freue mich auf Ihr / Euer Kommen!

Viele Grüße
Walter Sauter

C

WAFAG GmbH & Co. KG

Führendes Unternehmen im Metallbau sucht zum 1. März für das Lager der Fabrik in Fulda

einen Mitarbeiter in Vollzeit
Voraussetzungen: Staplerführerschein und Bereitschaft zum Schichtdienst

sowie für die Kantine
eine Aushilfe für 5 Stunden die Woche

Bewerbungen bitte an Michael Schuster.

D

Liebe Kolleginnen und Kollegen,

wir möchten Ihnen heute die neuen Mitglieder vorstellen. Sie heißen Jens Domes, Heike Wagner und Andreas Schulz.
Wenn Sie Probleme haben, dann wenden Sie sich an uns!

Herzliche Grüße
Ihr Betriebsrat

E

Werden Sie Mitglied!

**Es gibt gute Gründe.
Wir helfen Ihnen**
● **bei allen Fragen zum Tarifrecht**
● **bei Kündigungen und Entlassungen**

D2 Lesen Sie die Texte aus D1 noch einmal und kreuzen Sie an: Richtig oder falsch?

Text	richtig	falsch
A Die Mitarbeiter müssen ihre Lohnsteuerkarten im Personalbüro abgeben.	☐	☐
B Herr Sauter feiert seinen Geburtstag und lädt alle Kollegen ein.	☐	☐
C Die Firma sucht einen Teilzeit-Mitarbeiter für das Lager.	☐	☐
D Wenn die Mitarbeiter Probleme haben, können sie zum Betriebsrat gehen.	☐	☐
E Die Gewerkschaft entlässt die Mitarbeiter.	☐	☐

> **Schon fertig?**
> Bedanken Sie sich bei Herrn Sauter. Sie kommen gern. Schreiben Sie.

E1   Im Kurs: Sprechen Sie.

a   Wie viele Urlaubstage haben deutsche Arbeitnehmer im Durchschnitt?

☐ 14 Tage   ☐ 28 Tage   ☐ 35 Tage

b   Wie viele Feiertage gibt es durchschnittlich in Deutschland?

☐ 5–7 Tage   ☐ 11–13 Tage   ☐ 16–18 Tage

c   Welche Feiertage kennen Sie?

> Da gibt es doch zum Beispiel den „Tag der Deutschen Einheit". Ich glaube, der ist im Oktober.

> Feiertage in Deutschland? Keine Ahnung!

E2   Lesen Sie und vergleichen Sie mit E1.

Studie

Deutsche sind Freizeitweltmeister

Köln – Deutsche Arbeitnehmer sind international Spitze – zumindest, was die Zahl freier Tage betrifft. Nach Informationen des Instituts der Deutschen Wirtschaft in Köln hatten Arbeitnehmer im letzten Jahr ca. 28 bis 30 Tage Urlaub und 11 bis 13 bezahlte Feiertage. Insgesamt macht das rund 40 freie Tage, also fast acht Wochen.

Hinter Deutschland folgen Luxemburg mit insgesamt 38 freien Tagen, vor Österreich und Spanien mit 37 Tagen. Am unteren Ende liegt Japan, vor Irland und den USA. In Japan hatten die Arbeitnehmer 31 freie Tage, in Irland 29 und in den USA nur 12 Urlaubstage und 11 Feiertage.

E3   Lesen Sie noch einmal und ergänzen Sie.

Urlaubs- und Feiertage

ca. (23)   (29)   (31)   (37)   (38)   (40)

..../.................   ....   *Deutschland.*

E4   Erzählen Sie.

a   Wie viele Tage Urlaub hat man in Ihrem Land?
b   Gibt es in Ihrem Land viele Feiertage?

> Bei uns hat man 25 Tage Urlaub, glaube ich.

> In der Türkei gibt es mehr Feiertage, so ungefähr 15.

> Ein Lehrer hat bei uns viel Urlaub. Ein Arbeiter hat nicht so viel Urlaub. Ich glaube, nur 18 Tage im Jahr.

Grammatik

1 Konjunktion: *wenn*

a Hauptsatz vor dem Nebensatz

	Konjunktion	Ende
Bitte rufen Sie an,	wenn Sie krank	sind.
Ich bin tagsüber eben müde,	wenn ich nachts Taxi fahren	muss.

┈┈► ÜG, 10.11

b Nebensatz vor dem Hauptsatz

Konjunktion	Ende	▲	
Wenn Sie krank	sind,	(dann) rufen Sie	bitte an.
Wenn ich nachts Taxi fahren	muss,	(dann) bin ich	tagsüber eben müde.

┈┈► ÜG, 10.11

2 Ratschlag: *sollen* im Konjunktiv II

ich	sollte	wir	sollten	Sie sollten zur Berufsberatung gehen !
du	solltest	ihr	solltet	
er/sie	sollte	sie/Sie	sollten	

┈┈► ÜG, 5.12

3 Possessivpronomen

		Nominativ		Akkusativ	
maskulin	der Stift	Meiner	ist kaputt.	Kann ich deinen	haben?
neutral	das Handy	Meins		deins	
feminin	die Tasse	Meine		deine	
Plural	die Stifte	Meine	sind kaputt.	deine	

auch so: sein-, ihr-, unser-, euer-, ihr-, Ihr-

┈┈► ÜG, 3.02

Wichtige Wendungen

am Telefon: Können Sie mich mit ... verbinden?

Ist der Chef / die Chefin schon im Haus?	Nein, der/die ist (noch) nicht da.
	Soll er/sie zurückrufen?
	Kann ich etwas ausrichten?
Ich versuche es später noch einmal.	
Können Sie ihm/ihr bitte etwas ausrichten?	Ja, gern.
Können Sie mich bitte mit ... verbinden?	Tut mir leid, ... ist außer Haus. /
	... ist noch nicht da. / ... ist gerade nicht am Platz.
Ist sonst jemand aus der Abteilung da?	Nein, da ist niemand da.
Geben Sie mir doch bitte die Durchwahl von ...	Ja gern, das ist die 274.
Danke. Auf Wiederhören.	

Karl Elsener
(1860 – 1918)

Das Soldatenmesser
aus dem Jahr 1891

Das Schweizer
„Offiziersmesser" von 1897

Wenn Sie Brot und Käse schneiden wollen, brauchen Sie ein Messer. Wenn Sie eine Dose Fisch öffnen möchten, sollten Sie einen Dosenöffner haben. Wenn Sie eine Flasche Wein aufmachen wollen, dann benutzen Sie natürlich einen Korkenzieher. Zu Hause haben Sie das alles. Aber unterwegs? Auch kein Problem, weil Sie ja das Ding haben. Holen Sie es aus der Tasche und schon ist die Flasche offen, Brot, Käse und Fisch sind auf dem Teller und das Picknick kann beginnen.

Das Ding kann aber noch mehr: Wenn Sie auf einer Radtour dringend einen Schraubenzieher brauchen, dann nehmen Sie einfach Ihr Ding. Wenn das Tischbein zu lang ist, eine Säge aber leider fehlt, dann wissen Sie: Mein Ding kann auch das. Sie sollten es immer mitnehmen.

Das Ding gibt es auf der ganzen Welt. Sie können es in Millionen von ganz normalen Haushalten finden. Es ist klein, schön und praktisch. Es funktioniert immer und überall und man kann es fast nicht kaputt machen. Sehen Sie mal: Da drüben auf der rechten Seite ist es, das Ding. Das Schweizer Taschenmesser. Oder auch: das Schweizer Offiziersmesser. So heißt es nämlich ganz genau, dieses Ding.

Die Idee
Der Schweizer Karl Elsener macht 1884 in Ibach im Kanton Schwyz eine eigene Firma auf. Er möchte ein gutes, praktisches Messer für die Schweizer Armee herstellen.

1   **Sehen Sie das Taschenmesser an.**

a   Ergänzen Sie die Zahl.

Dosenöffner: .... Korkenzieher: .... Messer: .... Säge: .... Schraubenzieher: ....

b   Was kann man alles mit diesem Taschenmesser machen?
Haben Sie auch ein Taschenmesser?

Die Firma
Seit 1921 heißt die Firma *Victorinox*.
Sie ist heute der größte industrielle
Arbeitgeber im Kanton Schwyz.

Das Messer
Das Schweizer Offiziers-
messer bekommt man
in 120 Ländern. Heute
gibt es mehr als 100
Modelle mit bis zu 33
verschiedenen Funktionen.

Die Familie
Victorinox ist ein echtes
Familienunternehmen.
Der jetzige Chef,
Carl Elsener IV., ist der
Urenkel von Karl Elsener.

Zahlen
Die 1600 Mitarbeiter der
Victorinox-Gruppe
(*Victorinox* und *Wenger*)
stellen etwa 25 Millionen
Messer pro Jahr her.
90 Prozent davon gehen
in den Export.

2   **Lesen Sie die Texte und ergänzen Sie die Zahlen.**

a Karl Elsener hat im Jahr .... eine Firma für Taschenmesser gegründet.

b In der Firma arbeiten heute ungefähr .... Leute.

c Die Firma stellt pro Jahr .... Millionen Messer her.

d Es gibt heute mehr als .... verschiedene Messer.

e Sie haben bis zu .... Funktionen.

f Schweizer Taschenmesser kann man in .... Ländern kaufen.

5 | Sport und Fitness

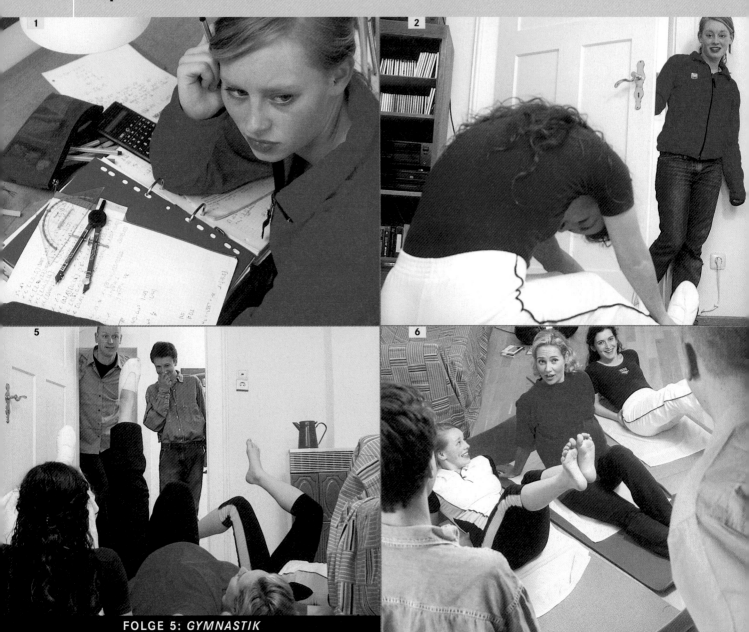

FOLGE 5: *GYMNASTIK*

CD 2 02

1 **Hören Sie und erzählen Sie.**

a Woran denken Sie? **b** Gefällt Ihnen die Musik? **c** Wann hören Sie Musik?

2 **Sehen Sie die Fotos an.**

a Fotos 1–3: Wer ist das? Kreuzen Sie an.

	Susanne	Maria	Larissa
Sie macht Gymnastik mit Musik.			
Sie muss sich konzentrieren, weil sie ihre Hausaufgaben machen muss.			
Sie muss bügeln.			

b Foto 7: Wie finden Sie Kurt? Sprechen Sie.

> Ich finde, er ist etwas dick.

> Nein, er ist doch nicht dick.

dick ● dünn ● groß ● klein ● sportlich ● unsportlich ● …

CD 2 03-10

3 **Sehen Sie die Fotos an und hören Sie.**

4 Wer sagt das zu wem? Schreiben Sie.

a *Maria zu Larissa* : Komm, mach mit! Ich zeige dir, wie es geht. Mathe kannst du auch
nachher machen.

b .... : Ach was, bügeln kannst du später, Mama! Komm – Gymnastik macht Spaß!

c .... : Aber du bist schwanger. Denk an das Baby! Denk an deinen Bauch!

d .... : Du isst zu viel und bewegst dich zu wenig. Guck doch mal in den Spiegel.
Du solltest ruhig auch mal Gymnastik machen.

e .... : Mein Bauch ist völlig in Ordnung.

f .... : In der letzten Zeit bist du eben ein bisschen dick geworden.

5 Machen Sie auch Sport? Welche Sportart und wie oft?

Ich jogge zweimal die Woche.

Ich schwimme sehr gern. Im Winter gehe ich regelmäßig ins Hallenbad, im Sommer ins Freibad.

Du isst zu viel und du **bewegst dich** zu wenig.

CD 2 11

A1 Hören Sie noch einmal und ergänzen Sie.

a Wie soll man .... bei dem Lärm konzentrieren?

b Ich möchte .... lieber in die Badewanne legen.

c Du isst zu viel und du bewegst .... zu wenig.

d Wir Männer interessieren .... nicht für Gymnastik.

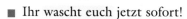

ich	bewege	mich
du	bewegst	dich
er/es/sie	bewegt	sich
wir	bewegen	uns
ihr	bewegt	euch
sie/Sie	bewegen	sich

auch so: sich legen, sich konzentrieren, sich interessieren, …

A2 Lesen Sie die Gespräche und sprechen Sie.

● Du bewegst dich zu wenig!
▲ Was? Ich bewege mich zu wenig?

Varianten:
sich nicht gesund ernähren ●
sich nur für Autos interessieren

■ Ihr wascht euch jetzt sofort!
◆ Was? Wir wollen uns aber jetzt nicht waschen.

Varianten:
sich duschen ● sich umziehen ● sich ins Bett legen

A3 Lesen Sie und ordnen Sie zu.

1

Sie können sich nicht konzentrieren?
Setzen Sie sich auf einen Stuhl und schließen Sie die Augen. Stellen Sie sich vor, Sie haben eine Orange auf Ihrem Kopf. Sie darf nicht runterfallen.

A

B

2

Sie fühlen sich schwach?
Sie müssen sich mehr bewegen. Gehen Sie jeden Tag eine halbe Stunde spazieren. Ruhen Sie sich danach fünf Minuten aus.

C

3

Sie fühlen sich oft müde?
Sie sollten sich gesund ernähren, d.h. viel Obst und Gemüse essen. Und – ärgern Sie sich nicht so viel! Das ist nicht gut für Ihr Herz.

D

4

Sie sind oft erkältet?
Stärken Sie Ihr Immunsystem. Duschen Sie sich jeden Tag warm und kalt. Ziehen Sie sich nicht zu warm an.

Bild	A	B	C	D
Text	4			

Sie müssen sich gesund ernähren.
Ruhen Sie sich aus!

A4   Lesen Sie noch einmal die Texte aus A3.

a   Markieren Sie die Probleme in blau und die Tipps in rot.

b   Notieren Sie.

Probleme	Tipps
sich nicht konzentrieren können	*sich auf einen Stuhl setzen und ...*
sich schwach fühlen	*sich mehr bewegen*

c   Sprechen Sie mit Ihrer Partnerin / Ihrem Partner.

> Ich kann mich
> nicht konzentrieren.

> Ich fühle mich
> oft schwach.

> Dann setz dich auf
> einen Stuhl und ...

> Dann solltest du
> dich mehr bewegen.

 A5   Gesundheitstipps

a   Was passt für Sie? Bilden Sie Gruppen.

Sie sind oft erkältet.   Sie sind oft müde.   Sie fühlen sich schwach.

b   Sammeln Sie Tipps und machen Sie ein Plakat.

einen Tee trinken   sich in die Badewanne legen

Ich bin oft erkältet.

regelmäßig in die Sauna gehen

c   Stellen Sie Ihre Tipps im Kurs vor.

> Wenn man erkältet ist, sollte man
> sich in die Badewanne legen.

Wir Männer **interessieren uns** nicht **für** Gymnastik!

B1 **Und Sie? Interessieren Sie sich für ...?**

a Hören Sie.

Wir Männer interessieren uns nicht für Gymnastik!

▲ Interessieren Sie sich für Gymnastik?
● Nein, eigentlich nicht.
▲ Interessieren Sie sich für Sportnachrichten?
● Ja, sehr, besonders für die Fußballergebnisse.
▲ Interessieren Sie sich für ...?

sich interessieren für	den Garten
	das Theater
	die Wettervorhersage
	die Sportnachrichten

b Fragen und antworten Sie.

die Sportnachrichten ● Modezeitschriften ● das Theater ● die Wettervorhersage ● den Garten ● Computer ● ...

Interessierst du dich für die Sportnachrichten?   Ja, sehr.

Interessieren Sie sich für ...?
+ Ja, eigentlich schon.   – Nein, eigentlich nicht.
++ Ja, sehr.   – – Nein, überhaupt nicht.

B2 **Lesen Sie die E-Mail.**

a Kreuzen Sie an: Richtig oder falsch?

	richtig	falsch
1 Sabine hat bald Prüfungen und Angst vor den Prüfungen.	☐	☐
2 Sabine mag ihren Professor und versteht sich gut mit ihm.	☐	☐
3 Sabine hatte in letzter Zeit wenig Zeit für ihre Freundinnen.	☐	☐
4 Jana geht am Wochenende mit Kathrin joggen.	☐	☐
5 Jana möchte, dass Sabine mit zum Essen geht.	☐	☐

Hallo Sabine,

ich denke oft an Dich. Träumst Du immer noch jede Nacht von Deinen Prüfungen? Ich hoffe, Du bist zufrieden mit dem Ergebnis und ärgerst Dich nicht mehr über Deinen Professor. Hast Du mal wieder Lust auf etwas Bewegung? Ich treffe mich am Samstag mit ein paar Leuten zum Laufen. Du erinnerst Dich sicher an Klara und Carolin. Und: Gestern habe ich lange mit Kathrin gesprochen. Ich habe mich mit ihr am Samstagabend verabredet. Wir gehen eine Kleinigkeit essen. Möchtest Du mitkommen? Du hast Dich in letzter Zeit kaum um Deine Freundinnen gekümmert. Auch Sandra hat sich schon über Dich beschwert. Also, komm mit! Bitte! Ich warte auf Deine Antwort und freue mich auf Dich!
Jana

b Ergänzen Sie aus der E-Mail.

warten auf	den Mann
	das Kind
	dich

auch so: sich ärgern über,
denken an, sich freuen auf, …

sprechen mit	dem Mann
träumen von	dem Kind
	dir

auch so: sich treffen mit,
sich verabreden mit, …

1 Ich denke oft *an*.…. Dich.

2 Ich hoffe, Du ärgerst Dich nicht mehr ………
deinen Professor.

3 Hast Du mal wieder Lust ……… etwas Bewegung?

4 Du erinnerst Dich sicher ……… Klara und
Carolin.

5 Du hast Dich kaum ……… Deine Freundinnen
gekümmert.

6 Auch Sandra hat sich schon ……… Dich beschwert.

7 Träumst Du immer noch ……… Deinen Prüfungen?

8 Ich hoffe, Du bist zufrieden ……… dem Ergebnis.

9 Ich treffe mich am Samstag ……… ein paar Leuten.

10 Gestern habe ich lange ……… Kathrin gesprochen.

11 Ich habe mich ……… ihr verabredet.

> **Schon fertig?**
> Antworten Sie auf Janas Mail.
> Schreiben Sie.

B3 **Spiel: Wer findet die meisten lustigen Sätze?**

Schreiben Sie Sätze. Wie viele finden Sie in fünf Minuten?

Anna verabredet sich mit dem Chef und weint.
Metin wartet auf den Bundeskanzler und …

Ihre Namen:			
Anna	sich verabreden mit	Freundin/Freund	backen
Metin	träumen von	Chef	lachen
…	sich kümmern um	Busfahrer	tanzen
	zufrieden sein mit	Hausmeister	baden
	sich beschweren über	Polizist	fliegen
	denken an	Techniker	und	weinen
	sich ärgern über	Mutter	sich ärgern
	sprechen mit	Vermieter	frühstücken
	warten auf	Bundeskanzler	sich ausruhen
	sich freuen auf	Berufsberater	sich duschen
	sich interessieren für	Ehefrau/-mann	joggen
		…	heiraten
			…

Gymnastik! **Darauf** habe ich keine Lust!

CD 2 13 **C1** **Hören Sie und variieren Sie.**

▲ Gymnastik! Darauf habe ich keine Lust!
● Worauf hast du dann Lust? Auf Schwimmen?
▲ Schwimmen? Darauf habe ich auch keine Lust!

Ich habe keine Lust auf Gymnastik.
Ich habe keine Lust darauf.
Worauf hast du dann Lust?

Varianten:
Fußball – Tischtennis ● Laufen – Radfahren ● Turnen – Tanzen

CD 2 14 **C2** **Hören Sie die Gespräche und ordnen Sie zu.**

	Fußball	Tennis	Eishockey	Handball
Gespräch	4			

CD 2 14 **C3** **Hören Sie noch einmal und ergänzen Sie.**

1 ● Das gibt's doch nicht. Jetzt haben die verloren.

■ Interessierst du dich jetzt auch für Frauenhandball? .... interessierst du dich eigentlich nicht?

● Aber im Moment läuft doch die Weltmeisterschaft. .... interessiere ich mich schon.

2 ▲ Morgen beginnt die Eishockey-Saison. .... freue ich mich schon die ganze Woche.

● Na, ich weiß nicht, Eishockey finde ich ziemlich brutal.

3 ▼ Olympische Goldmedaille für Steffi Graf? .... kann ich mich gar nicht mehr erinnern.

■ Ich schon. Das war 1988.

4 ● Ein Elfmeter! Das darf nicht wahr sein. Und das kurz vor Schluss!

■ Ärgere dich doch nicht ....!

● Also wenn ich mich .... nicht ärgern soll, ... darf ich mich dann überhaupt noch ärgern? Jetzt haben sie doch verloren.

sich interessieren für ...	dafür ...	Wofür ...?
sich freuen auf ...	darauf ...	Worauf ...?
(sich) erinnern an ...	daran ...	Woran ...?
sich ärgern über ...	darüber ...	Worüber ...?

C4 **Machen Sie ein Interview: Fragen Sie Ihre Partnerin / Ihren Partner und notieren Sie die Antwort.**

■ ... interessierst du dich am meisten?
■ ... denkst du oft?
■ ... erinnerst du dich gern?
■ ... freust du dich am meisten?
■ ... ärgerst du dich oft?

Wofür interessierst du dich am meisten?

Eva interessiert sich am meisten für Musik. Sie denkt oft an ...

C5 **Verteilen Sie die Zettel neu. Wer ist das? Stellen Sie eine Person vor. Die anderen raten.**

Diese Person interessiert sich am meisten für Musik. Sie denkt oft ...

Das ist Eva!   Genau.

D1 **Ordnen Sie zu.**

Tanzen • Radsport • Fußball • Tennis • Tischtennis • Turnen/Gymnastik • Handball

1   2   3   4   5   6   7

....

D2 **Für welche Sportarten interessieren sich die Anrufer? Hören Sie und notieren Sie.**

1 *Fußball* ....   2 ....   3 ....

D3 **Hören Sie noch einmal und machen Sie Notizen.**

	Was?	Wann?	Wie viel?
1	*Fußball*	*dienstags und freitags*	
2			*erste Stunde = kostenlos ...*
3			

jeden Montag = montags
auch so: dienstags, ...

D4 **Rollenspiel: Spielen Sie Telefongespräche. Rufen Sie bei einem Sportverein an.**

Sie möchten Ihren elfjährigen Sohn zum Fußball anmelden.

Sie möchten gern tanzen: Standard und Rock'n Roll.

Sie möchten gern Tennis spielen. Sie sind Anfänger.

Sportverein ..., guten Tag!

Guten Tag! Mein Name ist ....
Ich interessiere mich für ... / Bieten Sie auch ... an?
Ich möchte mich / meinen Sohn gern zur/zu/zum ... anmelden.

Ja. Wir bieten auch ... an.
Ja, dann kommen Sie einfach mal (mit Ihrem Sohn) vorbei.

Wann findet das statt?

Das ist immer montags von ... bis ... Uhr.
Es gibt verschiedene Gruppen.
Bitte rufen Sie Frau/Herrn ... an.
Die Telefonnummer ist ...

Schon fertig?
Ihr Sportverein.
Schreiben Sie.

Und wie viel kostet das?

... Euro pro Halbjahr.
Die erste Stunde ist kostenlos.

Vielen Dank für die Information.
Auf Wiederhören.

Mitgliedsbeitrag

Kinder/Jugendliche	15 Euro pro Halbjahr
Azubis/Studenten	25 Euro pro Halbjahr
Erwachsene ab 18 Jahren	30 Euro pro Halbjahr

Abteilungen

Fußball	je nach Gruppe Auskunft bei Herrn Zeiner Tel.: 928465
Leichtathletik	je nach Gruppe Auskunft bei Frau Wels Tel.: 573058
Tanzen	Standard: Di 20.00 – 21.30, Rock'n Roll: Mi 20.00 – 20.30
Tennis	Anfänger: Do 17.00 – 18.30, Fortgeschrittene: Fr 16.00 – 17.30 (+ zusätzliche Gebühr)
Turnen/Kinder mit Eltern	Mo 10.00 – 11.00

E1 **Lesen Sie den ersten Absatz (Zeile 1–7). Welche Aussage passt? Kreuzen Sie an.**

☐ Man muss viel Sport machen und oft trainieren. Nur so bleibt man wirklich fit.
☐ Man muss sich einfach täglich etwas bewegen. Dann bleibt man fit.

Unser Expertentipp

Helmut Grassl, Extremsportler, hat in vier Monaten die Welt umradelt und schon dreimal den Mount Everest bestiegen.

Wie viel Fitness braucht der Mensch? Reicht eine halbe Stunde Bewegung pro Tag?

Fitness ist ein sehr weiter Begriff. Wenn man wie ich um die Welt radeln oder den Mount Everest besteigen will, dann reicht eine halbe Stunde Training pro Tag natürlich nicht. Aber es will ja auch nicht jeder auf den Mount Everest steigen. Sie wollen fit sein und sich gut fühlen?
5 Dann müssen Sie gar nicht viel machen. Bringen Sie nur etwas mehr Bewegung in Ihren Alltag. Wie? – Ganz einfach:

▨ Machen Sie morgens nach dem Aufstehen Gymnastik: drei Liegestützen und fünf Kniebeugen reichen.

10 ▨ Gehen Sie die Treppen nicht nur zu Fuß hoch, wenn der Aufzug außer Betrieb ist.

▨ Parken Sie Ihr Auto ein paar Straßen von Ihrem Arbeitsplatz entfernt und gehen Sie dann zu Fuß weiter. Oder: Fahren Sie doch gleich mit dem Fahrrad zur Arbeit.

▨ Noch besser ist es natürlich, wenn Sie zusammen mit anderen Sport machen und zum Beispiel Mitglied in einem Fitnessstudio werden oder bei einer Laufgruppe mitmachen.

E2 **Lesen Sie den Text aus E1 und tragen Sie die Tipps in die Tabelle ein.**

Kreuzen Sie dann an: Wie oft machen Sie das?

	oft	manchmal	selten	nie
morgens Gymnastik machen				
Treppen ...				

E3 **Mal ehrlich!?**

a Lesen Sie die Fragen.
b Wie reagieren Sie? Sprechen Sie.

> **Schon fertig?**
> Finden Sie noch mehr Fitness-Tipps für den Alltag!

Der Supermarkt ist gleich in Ihrer Nähe. Sie gehen immer zu Fuß zum Einkaufen. Heute regnet es stark. Nehmen Sie das Auto?

Normalerweise machen Sie jeden Morgen zehn Minuten Gymnastik. Aber heute sind Sie noch ganz müde. Was machen Sie?

Sie gehen dienstags immer mit Ihren beiden Freundinnen joggen. Heute haben beide keine Zeit. Joggen Sie allein?

Sie besuchen einen Freund. Er wohnt im vierten Stock. Nehmen Sie die Treppe oder den Aufzug?

Ehrlich gesagt ...
Wenn ich ehrlich bin, ...
Das ist doch klar.
Das ist doch selbstverständlich.
Das finde ich etwas übertrieben. ◢

Also, ehrlich gesagt, ich nehme den Aufzug!

Den Aufzug? Nein, ich gehe immer zu Fuß. Das ist doch selbstverständlich. Ich will ja fit und gesund bleiben.

Grammatik

1 Reflexive Verben

ich	bewege	mich
du	bewegst	dich
er/es/sie	bewegt	sich
wir	bewegen	uns
ihr	bewegt	euch
sie/Sie	bewegen	sich

Du bewegst dich zu wenig.

auch so: sich anziehen, sich ärgern, sich ausruhen, sich duschen, sich ernähren, sich fühlen, sich interessieren, sich konzentrieren, sich legen, sich setzen, ...

⤍ ÜG, 5.24

2 Verben mit Präpositionen

mit		maskulin	neutral	feminin	Plural	*auch so:*
Akkusativ	warten auf	den Mann	das Kind	die Frau	die Personen	denken an, sich kümmern um, ...
Dativ	sprechen mit	dem Mann	dem Kind	der Frau	den Personen	träumen von, sich treffen mit, ...

⤍ ÜG, 5.23

3 Präpositionaladverbien

Verb mit Präposition	Präpositionaladverb	Fragewort	▲ da/wo + *r* + Vokal
(sich) erinnern an	da*r*an	Wo*r*an ...?	da*r*an / wo*r*an
Lust haben auf	da*r*auf	Wo*r*auf ...?	
sich interessieren für	dafür	Wofür ...?	
zufrieden sein mit	damit	Womit ...?	
sich ärgern über	da*r*über	Wo*r*über ...?	
sich kümmern um	da*r*um	Wo*r*um ...?	
träumen von	davon	Wovon ...?	

Ich habe keine Lust auf Gymnastik. → Ich habe keine Lust darauf. – Worauf hast du dann Lust?

⤍ ÜG, 5.23

Wichtige Wendungen

jemanden nach seinen Interessen fragen / Interesse ausdrücken

Interessieren Sie sich für ...?	Dafür interessiere ich mich sehr.
Haben Sie Lust auf ...?	Darauf habe ich keine Lust!
Wofür interessierst du dich am meisten?	(Ich interessiere mich am meisten) Für ...
Worauf haben Sie Lust?	(Ich habe Lust) Auf ...
Woran denkst du am liebsten?	(Ich denke) An ...
Worauf freust du dich am meisten?	(Ich freue mich) Auf ...

Antworten abstufen

Interessieren Sie sich für ...?
Ja, sehr. • Ja, eigentlich schon. • Nein, eigentlich nicht. •
Nein, überhaupt nicht.

Ärger ausdrücken

Das gibt's doch nicht! •
Das darf nicht wahr sein!

sich anmelden / Informationen erfragen

Bieten Sie auch ... an? • Ich möchte mich / meinen Sohn gern anmelden. • Wann findet das statt? •
Das ist immer montags/dienstags ... • Wie viel kostet das? • Vielen Dank für die Information.

die eigene Meinung ausdrücken

Ehrlich gesagt ... • Wenn ich ehrlich bin, ... • Das ist doch klar. •
Das ist doch selbstverständlich. • Das finde ich etwas übertrieben.

Frau Özer, Ihr Vater Salih ist Türke und Ihre Mutter Barbara ist Deutsche. Erzählen Sie uns ein bisschen über Ihre Familie?

5 Mein Vater kommt aus Muş im Osten der Türkei. Er ist 1985 nach Deutschland gekommen, als Erster aus seiner Familie. Ein paar Jahre später ist dann seine ältere Schwester auch hierher 10 gekommen. Papa hat bei Opel in Rüsselsheim gearbeitet. Gewohnt hat er in Mainz-Bischofsheim. Dort hat er meine Mutter kennengelernt. Sie kommt aus Mainz-Bischofsheim und 15 hat Bürokauffrau gelernt.

Ihr Vater spielte früher als Fußballprofi beim türkischen Erstliga-Klub Muşspor, später dann auch für Eintracht Frankfurt und Darmstadt 98. Sie selbst 20 spielen in der Deutschen Bundesliga und auch Ihr Bruder Can ist ein leidenschaftlicher Fußballer ...

Jetzt haben Sie noch meine Mutter vergessen. Sie interessiert sich auch sehr 25 für Fußball und sie hat für uns vieles erst möglich gemacht. Immer hat sie uns zum Training oder zu den Spielen gefahren. Auch heute noch kümmert sie sich um alles und ist überall mit dabei.

30 Die Özers sind also eine richtige Fußball-Familie?

Ja, das stimmt. Fußball ist für uns sehr wichtig. Für mich war es zuerst ja nur ein Hobby. Erst später habe ich gese- 35 hen, dass ich sogar einen Beruf daraus machen kann.

Und so haben Sie heute zwei Berufe.

Richtig. Nach meinem Realschulabschluss habe ich auch eine Ausbildung als Kauffrau für Bürokommunikation 40 gemacht. Ich darf ja nicht nur an heute denken. Profifußballerin kann man nicht für immer bleiben. Also muss ich mich schon jetzt darum kümmern, wie ich später mein Geld verdiene. 45

Das klingt sehr vernünftig. Sie stehen mit beiden Beinen voll im Leben. Kann man das so sagen?

Na ja, ich denke immer positiv. Und ich möchte immer mein Bestes geben. Ich 50 glaube, wenn man etwas wirklich will, dann kann man alles schaffen. Dann kann man auch Träume wahr machen.

So? Wovon träumen Sie denn?

Ach, es gibt so viele Träume! Zum 55 Beispiel möchte ich gerne in der türkischen Nationalmannschaft spielen. Die Türkei hat inzwischen auch ein sehr gutes Frauenfußballteam.

Schlägt Ihr Herz mehr für Deutschland 60 oder für die Türkei?

Ich bin in Deutschland aufgewachsen. Hier lebe und arbeite ich und hier fühle ich mich zu Hause. Aber ein großer Teil meiner Familie ist türkisch und dann 65 habe ich auch viele Freunde aus ganz verschiedenen Ländern. Deshalb sage ich nicht „oder". Ich sage lieber „und": Mein Herz schlägt also für Deutschland und für die Türkei. 70

---

1 **Lesen Sie die Texte. Kreuzen Sie an: Richtig oder falsch?**

		richtig	falsch
a	Deniz ist in Deutschland geboren.	☐	☐
b	Alle in der Familie interessieren sich für Fußball, nur die Mutter nicht.	☐	☐
c	Deniz hat keine Ausbildung.	☐	☐
d	Das Hobby von Deniz ist Fußball.	☐	☐
e	Deniz hat einen deutschen Pass.	☐	☐
f	Deniz möchte in der deutschen Nationalmannschaft spielen.	☐	☐
g	Deniz fühlt sich in der Türkei und in Deutschland wohl.	☐	☐

Deniz Özer

Geboren:	1987 in Flörsheim am Main
Berufe:	Profifußballerin, Kauffrau
Verein:	SG Essen-Schönebeck.
Staatsangehörigkeit:	deutsch und türkisch
Das mag sie gern:	Lachen, Döner essen, mit Freunden zusammen sein, Schokolade!!!

FRAUEN-BUNDESLIGA

2   Was ist Ihre Meinung zum Thema „Fußball"?

Ich finde Fußball nicht so toll.
Ich interessiere mich mehr für ...

Ich spiele selbst gern
Fußball. Mein Verein heißt ...

Fußball ist mein Leben! Mein Lieblingsverein
ist ... . Ich gehe oft ins Stadion.

3   Haben Sie auch einen Traum wie Deniz? Welchen?

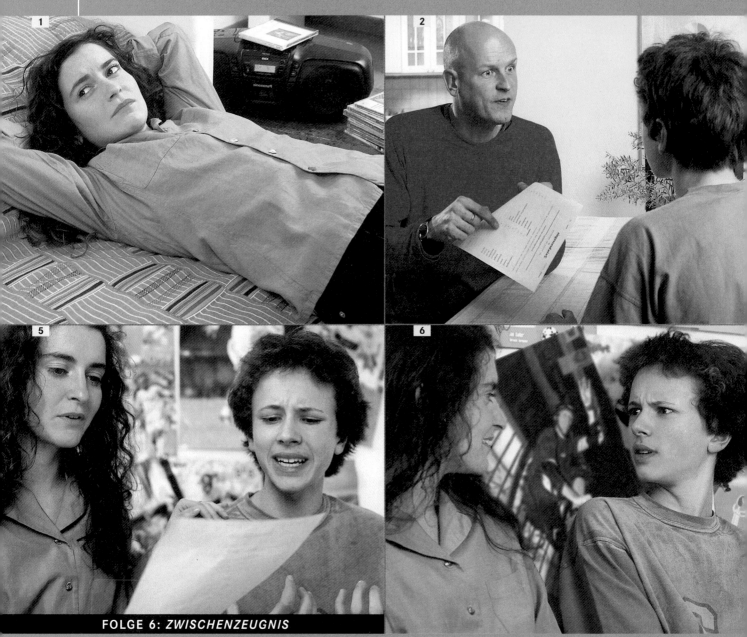

FOLGE 6: *ZWISCHENZEUGNIS*

1 **Schule, Studium und Ausbildung**
Ordnen Sie zu. **a** das Zeugnis ☐ 7
das Fach ☐
die gute Note ☐
die schlechte Note ☐

① **Zwischenzeugnis**
für den Schüler des Gymnasiums
Simon Braun
(Vorname, Familienname)
④
	Leistungen:		
Mathematik	5	Englisch	2
Deutsch	③ 5	Sport	2 1
Biologie	2	Musik	1

b in der Schule sitzen bleiben ⟍ Die Abschlussprüfung an einem Gymnasium. Danach kann man studieren.
das Abitur einen Beruf lernen
eine Ausbildung machen Mit zwei Fünfen oder einer 6 im Zeugnis muss man eine Klasse wiederholen.
studieren eine Universität besuchen

2 **Wie heißt das Gegenteil? Ergänzen Sie: dumm ● faul ● arm ● blöd**

a fleißig – .... **b** intelligent – *dumm* **c** toll – .... **d** reich – ....

3   **Sehen Sie die Fotos an und hören Sie.**

4   **Wer sagt was? Kreuzen Sie an.**

	Simon	Kurt	Maria
a Ich wollte Abitur machen, ich wollte studieren, aber ich durfte nicht.			
b Ich will nicht studieren, aber ich muss anscheinend!			
c Na ja, … zwei Fünfen, das ist doch gar nicht so schlimm, Simon!			
d Mit zwei Fünfen bleibe ich sitzen! Dann muss ich noch ein Jahr länger auf diese blöde Schule.			
e Jetzt bin ich richtig froh, dass Maria da ist. Sie hilft mir ab heute beim Mathelernen!			

5   **Wie finden Sie das Verhalten von Kurt?**   Ich finde, Kurt ist zu streng.   Kurt hat recht, weil …

A1   **Hören Sie noch einmal und ergänzen Sie.**

muss ● durfte ● wollte ● musste ● wollte ● will

▲ Ich .... Abitur machen, als ich so alt war wie du. Ich .... studieren,

aber ich .... nicht. Ich .... raus und Geld verdienen ... und du?

● Bei mir ist es genau andersherum. Ich .... nicht studieren, aber ich .... anscheinend.

A2   **Sprechen Sie.**

Anna Tenorth (geb. 1940)

wollen	**aber**	**sollen**	**müssen**		wollte konnte
Schneiderin werden		auf dem Bauernhof helfen	Bäuerin werden	ich er/sie	sollte durfte musste studieren

Monika Maas (geb. 1954)

wollen	**aber**	**dürfen**	**können**	
eine Lehre als Automechanikerin machen		die Schule in der Stadt nicht besuchen	später eine Ausbildung als Sekretärin machen	eine Ausbildung / eine Lehre machen = einen Beruf lernen

> Anna Tenorth wollte Schneiderin werden, aber sie sollte ...

A3   **Was konnte / wollte / musste / durfte Friedrich in seinem Leben alles (nicht)? Schreiben Sie zu jedem Bild ein bis zwei Sätze.**

A Friedrich wollte spielen, aber er durfte nicht. Er musste lernen.

A4   **Was wollten Sie früher werden? Als was arbeiten Sie heute? Zeichnen Sie, raten Sie und sprechen Sie.**

als	Kind
	Jugendliche / Jugendlicher
mit	11

● *Du wolltest als Kind Tierarzt/... werden, oder?*
Was wolltest du als Jugendliche/r werden? Pilot?

▲ *Ja, mit 11 / als Kind / als Jugendliche/r wollte ich ... werden.*
Ich wollte ..., aber ich konnte/durfte nicht. Ich musste/sollte ...
Später habe ich dann eine Ausbildung als ... gemacht.
Jetzt bin ich Taxifahrer / ... von Beruf / arbeite ich als ...

ich	wollte	wir	wollten
du	wolltest	ihr	wolltet
er/sie	wollte	sie/Sie	wollten

auch so: konnte, sollte, durfte, musste

Es ist aber wichtig, **dass** man eine gute Ausbildung hat.

B   6

B1 Wer sagt was? Ordnen Sie zu.

a Ich bin richtig froh, dass du bei uns bist.
b Es tut mir leid, dass du Stress in der Schule hast.
c Papa meint, dass ich faul bin.
d Es ist aber wichtig, dass man eine gute Ausbildung hat.
e Ich finde es nicht so schlimm, dass du zwei Fünfen hast.

Es ist wichtig, dass man eine gute Ausbildung hat.
auch so: Ich finde/meine, dass …
Es tut mir leid, dass …
Ich bin froh, dass …

B2 Wer findet Noten wichtig, wer nicht? Hören Sie und kreuzen Sie an.

2|25

… findet, dass Noten …	wichtig sind.	nicht wichtig sind.
Jakob	☐	☐
Olaf Meinhard	☐	☐
Anneliese Koch	☐	☐

B3 Wer sagt was? Hören Sie noch einmal und kreuzen Sie an.

2|25

	Jakob	Olaf Meinhard	Anneliese Koch
a Man kann auch mit schlechten Noten Erfolg im Beruf haben.			
b Man muss den Schülern Noten geben. Sie lernen sonst nicht.			
c Die meisten Schüler haben kein Interesse mehr an Deutsch oder Mathe. Sie lernen nur noch für eine gute Note.			

B4 Sprechen Sie.

Herr Meinhard sagt, dass Noten wichtig sind. Er meint, dass man den Schülern Noten geben muss. Er glaubt, dass sie sonst …

Er/Sie sagt,	dass …
denkt,	
glaubt,	
ist sicher,	

B5 Sprechen Sie in Gruppen.

Sind Noten in der Schule wichtig?

Sollen auch die Lehrer Noten bekommen?

Sollen Mädchen und Jungen in verschiedene Klassen gehen?

▲ Findest du, dass Noten in der Schule wichtig sind?
● Ja, ich finde Noten wichtig. Wenn mein Sohn in der Schule keine Noten bekommt, dann lernt er nicht.
■ Du hast recht. Meinst du, dass auch die Lehrer Noten bekommen sollen?
▼ Keine schlechte Idee! / Gute Idee!
■ Warum?
▼ Weil …

Findest du,	dass …?
Meinst du,	
Glaubst du,	
Bist du sicher,	

Schon fertig?
Schreiben Sie Ihre Meinung.

C1 **Das Schulsystem: Sehen Sie das Schema an. Welche Schulen kennen Sie? Was wissen Sie darüber?**

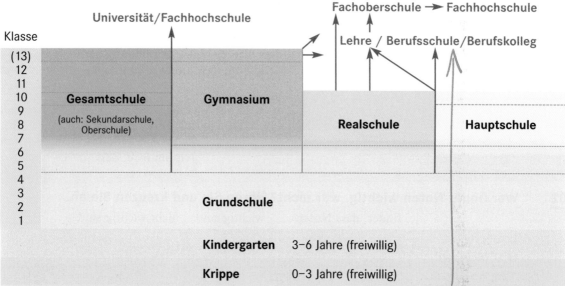

C2 **Welchen Schulweg sind die vier Personen gegangen? Hören Sie und zeichnen Sie in das Schema aus C1.**

Hanne Heinrich, 18 Jahre, **Auszubildende**
Sie ist froh, dass sie nicht mehr in die Schule gehen muss.

Klaus Eggers, 40 Jahre, **Mechaniker**
Seine Schulzeit war toll, meint er. Er hatte nie wieder so viel Spaß.

Anne Niederle, 31 Jahre, **Lehrerin**
Ihr Lieblingsfach war Mathematik.

Daniel Holzer, 13 Jahre, **Schüler**
Er möchte nach der Schule ein Handwerk lernen. Vielleicht Schreiner.

 C3 **Ihre Schulzeit. Woran erinnern Sie sich? Machen Sie Notizen und erzählen Sie.**

Ich bin mit ... Jahren
in die Schule gekommen.

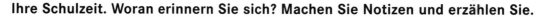

Mein Lieblingsfach war Mathe/...
Biologie/... habe ich gehasst.
Schön/Langweilig war auch immer ...

☺
Mein/e Lieblingslehrer/in war ...
Er/Sie hat ...
Nach der Schule habe/bin ich ...

☹
Im Unterricht mussten wir ...
Die Lehrer waren bei uns sehr streng.
Wenn wir ...

Fächer
Deutsch/Englisch/...
Mathematik
Physik
Chemie
Biologie
Geschichte
Erdkunde
Kunst
Sport
Musik

> Ich bin mit sieben Jahren in die Schule gekommen. Mein Lieblingsfach war immer Mathe. Da war ich gut. Der Mathelehrer war meistens auch mein Lieblingslehrer. ...

Schon fertig?

Schreiben Sie einen Tagebucheintrag.

Beispiel: *5. Mai 1985*
Ich hasse Mathe.
Heute hat Herr Müller ...

D1   **Lesen Sie die Kursangebote. Markieren Sie das Thema:**
Sprache = grün; Computer = blau; Beruf = rot; Gesundheit = gelb.

K u r s a n g e b o t – F r ü h j a h r

1 Schulfranzösisch für Eltern – Für Anfänger   8 x Mi
Sie wollen Ihr Kind beim Französischlernen unterstützen?   17.30–19.00 Uhr
Hier lernen Sie die Grundlagen der Grammatik und   Beginn: Mi, 03.03.
die korrekte Aussprache. Lehrmaterial wird im Kurs bekannt gegeben.   5–12 TN

2 Französisch für die Reise   10 x Di
Kompaktkurs für Teilnehmer/innen ohne Vorkenntnisse   19.00–21.00 Uhr
zur Vorbereitung auf Ihre Frankreich-Reise   Beginn: Di, 02.03.
Lehrbuch: On y va, Hueber Verlag   5–8 TN

3 Einführung in den PC   4 x Mo
Keine Angst mehr vor Computern!   17.45–19.00 Uhr
Lernen Sie den sicheren Umgang mit „Word": schreiben, speichern,   Beginn: Mo, 01.03.
drucken, aber auch die Arbeit mit CD-ROMs und vieles mehr.   7–12 TN

4 Computer für Fortgeschrittene   So, 08.05.,
Sie haben schon Erfahrung mit dem Internet? Hier lernen Sie mehr über   10.00–17.00 Uhr
den Umgang mit Suchmaschinen und Web-Katalogen. Wir besuchen   7–12 TN
nützliche Sites und sehen, wie elektronisches Einkaufen funktioniert.

5 Ran an den Computer II   5 x Mo
für Kinder ab 7 Jahren   14.15–16.00 Uhr,
Vorkenntnisse erforderlich.   Beginn: Mo, 08.03.
   5–12 TN

6 Vortrag Bewerbungstraining   Sa/So, 05./06.06.,
Wie bewirbt man sich richtig? Wie formuliert man das Bewerbungs-   9.00–14.00 Uhr
schreiben? Wie präsentiert man sich beim Vorstellungsgespräch?   7–20 TN
Unsere Expertin zeigt Ihnen die besten Tipps und Tricks.

7 Fit in Englisch!   10 x Do
Lesen, Hören, Sprechen, Schreiben   14.30–15.45 Uhr,
für Kinder ab der 7. Klasse   Beginn: Do, 19.02.
   8–12 TN

8 Deutsch als Fremdsprache – Vorbereitungskurs zum "Einbürgerungstest"!   21.04. und 03.05.,
In diesem Kurs lernen Sie, die Testfragen zu verstehen und erfahren auch   19.00–21.30 Uhr
etwas über den Ablauf der Prüfung.   5–12 TN

9 Lehrgang zur beruflichen Qualifizierung   Mo–Fr.
Gesundheitsberufe/Pflege – Nur für Frauen   ab 02.02.
Halbjähriger Lehrgang mit Abschlusszertifikat. Mit 2-monatigem   8.30–15.00 Uhr
Praktikum im Pflegebereich. Förderung durch die Arbeitsagentur möglich.
Anmeldung und Beratung: Frau Müller-Siecheneder, Tel. 4501-720

10 Erste-Hilfe-Kurs   5 x Di
Ihr Kind hatte einen Unfall. Es blutet stark. Der Notarzt ist noch nicht da!   9.00–15.30 Uhr
Was tun? Wir zeigen Ihnen die richtigen Handgriffe in Notsituationen.   Beginn: Di, 17.02.
   7–12 TN

D2   **Hören Sie fünf Gespräche. Welcher Kurs aus D1 passt zu welchem Gespräch?**

Gespräch	A	B	C	D	E
Kurs					

E1 **Man braucht in jedem Beruf Kreativität! Was meinen Sie dazu? Sprechen Sie mit Ihrer Partnerin / Ihrem Partner.**

> Ein Ingenieur braucht Kreativität. Wenn er etwas neu konstruiert, dann braucht er Ideen.

> Ja, stimmt. Und ein Koch?

E2 **Testen Sie Ihre Kreativität.**

a Lesen Sie Zeile 1–4: Was ist richtig? Kreuzen Sie an.

☐ In internationalen Firmen ist Kreativität nicht mehr wichtig. ☐ Kreativität kann man üben.

b Machen Sie jetzt die Aufgaben und testen Sie Ihre Kreativität.

Wie kreativ sind Sie? Denken Sie mal um die Ecke!

Kreativität ist heute in fast jeder Stellenanzeige gefragt. Gute Ideen sind nicht nur in internationalen Firmen wichtig. Sogar ein Kiosk braucht heute kreative Mitarbeiter. Und: Kreativität hat jeder – man muss sie nur trainieren.

5 **Mit diesen Aufgaben testen und trainieren Sie Ihre Kreativität!**

1 **Machen Sie ein neues Bild!**
So geht es: Malen Sie eine Situation. Benutzen Sie dabei alle diese Elemente. Es gibt kein Zeitlimit: Schauen Sie auf die Uhr: Wie viel Zeit brauchen Sie?

2 **Was kann das sein?**
10 *So geht es:* Sehen Sie sich die vier Bilder an. Was meinen Sie: Was ist das? Sammeln Sie möglichst viele Ideen und schreiben Sie die Wörter auf Deutsch oder in Ihrer Sprache auf. Sie haben 4 Minuten Zeit. Zählen Sie dann Ihre Wörter.

3 **Denken Sie sich Sätze aus!**
15 *So geht es:* Sie haben vier Buchstaben. Mit diesen Buchstaben sollen Sie Sätze mit vier Wörtern bilden. Der/das/die oder ein/eine sind erlaubt. Die Reihenfolge muss gleich bleiben.
Beispiel: **H I R P** → **H**eute **i**sst **R**obert eine **P**izza oder: **H**ier **i**st **R**olfs **P**arty oder: **H**olt **i**hr **R**eginas **P**äckchen?
Sie haben 5 Minuten Zeit. Schreiben Sie Sätze mit **D S H A**. Wie viele Sätze haben Sie gefunden?

E3 **Wie kreativ sind Sie?**

a Lesen Sie die Auflösung. Welchen Buchstaben haben Sie am meisten: A, B oder C?

Auflösung:

Aufgabe 1	8 Minuten und mehr = A	5 bis 7 Minuten = B	bis 4 Minuten = C	Ein mögliches
Aufgabe 2	bis 7 Ideen = A	8 bis 15 Ideen = B	16 Ideen und mehr = C	Bild kann so
Aufgabe 3	bis 3 Sätze = A	4-6 Sätze = B	7 Sätze und mehr = C	aussehen:

Am meisten A: Der Routine-Typ: Sie stehen fest mit beiden Beinen auf dem Boden. Das ist Ihre Stärke. Aber: Bei Ihnen ist oft jeder Tag gleich. Bringen Sie neue Ideen in Ihren Alltag! Machen Sie etwas ganz spontan.

Am meisten B: Der inspirierte Typ: Sie haben gute Ideen, aber die kommen oft spontan z. B. im Bus und nicht dann, wenn Sie sich auf ein Problem konzentrieren. Mit ein bisschen mehr Training können Sie Ihre Kreativität noch besser nutzen.

Am meisten C: Der originelle Typ: Sie gehen gern neue Wege, haben viele Ideen und suchen neue Lösungen. Machen Sie weiter so. Ihre Stärke ist Ihre Kreativität!

b Welcher Typ sind Sie? Passt das Ergebnis zu Ihnen? Sprechen Sie mit Ihrer Partnerin / Ihrem Partner.

> Ich bin der Routine-Typ. Das passt gar nicht! …

> Also, ich bin der inspirierte Typ. Ich glaube, das stimmt auch. Gute Ideen habe ich meistens nicht am Arbeitsplatz. Die kommen mir dann erst abends im Bett.

Grammatik

1 Modalverben: Präteritum

	müssen	können	wollen	dürfen	sollen
ich	musste	konnte	wollte	durfte	sollte
du	musstest	konntest	wolltest	durftest	solltest
er/es/sie	musste	konnte	wollte	durfte	sollte
wir	mussten	konnten	wollten	durften	sollten
ihr	musstet	konntet	wolltet	durftet	solltet
sie/Sie	mussten	konnten	wollten	durften	sollten

┈┈┈▶ ÜG, 5.09–5.12

2 Konjunktion: *dass*

	Konjunktion		Ende
Es ist wichtig,	dass	man eine gute Ausbildung	hat.

auch so: Ich denke / finde / meine / glaube / bin sicher / ..., dass ...

Es tut mir leid, dass ...

Ich bin froh, dass ...

...

┈┈┈▶ ÜG, 10.06

Wichtige Wendungen

über den Berufsweg sprechen

Als Kind / Mit 11 / Als Jugendliche/r wollte ich ... werden. •
Ich wollte ..., aber ich konnte/durfte nicht. Ich musste/sollte ... •
Später habe ich dann eine Ausbildung als ... gemacht. •
Jetzt bin ich ... von Beruf.
Jetzt arbeite ich als ...

seine Meinung sagen

Ich denke / finde / meine / glaube / bin sicher / dass ... •
Es ist wichtig, dass ...

Gefühle/Verständnis ausdrücken

Ich bin froh, dass ... • Es tut mir leid, dass ... •
Ich finde es nicht so schlimm, dass ...

über die Schulzeit sprechen

Ich bin mit ... in die Schule gekommen. •
Mein Lieblingsfach / Mein Lieblingslehrer war ... • ... habe ich gehasst. •
Schön/Langweilig war auch immer ... • Im Unterricht mussten wir ... •
Die Lehrer waren bei uns sehr streng. Wenn wir ...

zustimmen

Ja, stimmt. • Da hast du recht. • Gute Idee! • Keine schlechte Idee!

Bildung ist so wichtig wie noch nie. Für die meisten Berufe braucht man heute einen guten Schulabschluss. Wie können wir unseren Kindern dabei helfen? Helga Platzek ist Lehrerin an einer Hauptschule. Sie kennt die Probleme. Hier sind ihre Tipps für Eltern und andere Verwandte:

„Das Wichtigste gleich am Anfang: Familie und Lehrer sollten sich kennen und miteinander sprechen. Nur gemeinsam erreichen wir das Beste für die Kinder. Deshalb stelle ich Ihnen jetzt vier Beispiele vor, wo und wie wir zusammenarbeiten können."

Der Elternbeirat
„In jedem Schuljahr wählen die Eltern einen Elternbeirat für die Schule. Alle Eltern können und sollen bei dieser Wahl mitmachen. Der Elternbeirat erfährt Neuigkeiten aus der Schule besonders schnell, er informiert die Eltern, er hilft bei der Lösung von Problemen und bei der Organisation von Veranstaltungen. Mit allen Schulfragen kann man auch zum Elternbeirat gehen."

Die Sprechstunde
„In der Sprechstunde können Sie mit dem Lehrer oder der Lehrerin alle Schulfragen und Probleme besprechen."

1   **Fragen und Probleme in der Schule. Lesen Sie die Texte. Was machen Sie?**
    Ordnen Sie zu.

1 Der Schulkiosk wird teurer.

2 Ich möchte die Klassenlehrerin von meinem Kind kennenlernen und mit ihr persönlich reden.

3 Der Hausmeister ist immer so unfreundlich.

4 Wir wählen einen Elternklassensprecher!

5 Mein Kind hat Angst vor der Schule.

6 Mein Kind kann nicht kommen, weil es ein Familienfest gibt.

7 Wir müssen das Sommerfest organisieren.

Gehen Sie am besten in die Sprechstunde.

Das können Sie auf dem Elternabend sagen/fragen/besprechen.

Fragen Sie den Elternbeirat.

Schreiben Sie das in das Mitteilungsheft.

Liebe Frau Wagner,   19. November
Ihr Sohn Johannes stört in letzter Zeit häufig den Unterricht.
Er lacht und redet laut. Sorgen Sie doch bitte dafür, dass dies aufhört.
Vielen Dank!
H. Platzek

Hallo Frau Platzek,
ich habe mit Johannes gesprochen. Er sagt, dass er nicht lauter ist
als die anderen Jungs. Ich komme nächste Woche mal in Ihre
Sprechstunde, okay?
Viele Grüße
Tina Wagner

Das Mitteilungsheft
„Im Mitteilungsheft, im Hausaufgabenheft oder mit Notizzetteln können sich Eltern und Lehrer kurze Informationen schicken."

Der Elternabend
„Auf Elternabenden lernen Sie die Lehrer und die Schule kennen. Sie bekommen wichtige Informationen über die Schule, die Klasse und den Unterricht."

Alfons-Ritter-Hauptschule
Information für die Eltern der Klasse 6d

Liebe Eltern,

hiermit möchten wir Sie herzlich zu unserem ersten Elternabend einladen. Er findet am 19. September in Zimmer 211 statt. Er beginnt um 19:30 Uhr und endet um ca. 21:00 Uhr.
Auf dem Elternabend bekommen Sie wichtige Informationen für das neue Schuljahr. Außerdem wollen wir die Elternsprecher für die Klasse wählen, die Aufgaben für unser Herbstfest verteilen und

---

D2 28

2 **Auf dem Elternabend. Hören Sie und kreuzen Sie an: Richtig oder falsch?**   richtig   falsch

a Die Kinder dürfen Gameboys nur mitnehmen, wenn es die Eltern erlauben. ☐ ☐
b Schüler dürfen Handys mitnehmen, aber nicht benutzen. ☐ ☐
c Innerhalb von 14 Tagen sollen die Schüler dreimal Hausaufgaben machen. ☐ ☐
d Wenn ein Schüler krank ist, muss man spätestens am Nachmittag die Schule anrufen. ☐ ☐

D2 29-30

3 **In der Sprechstunde. Hören Sie Gespräch 1 und 2 und machen Sie Notizen.**

Was ist das Problem? Welche Lösung gibt es?

4 **Hatten Sie oder Ihr Kind schon mal Fragen oder Probleme in der Schule? Was haben Sie gemacht?**

FOLGE 7: *TANTE ERIKA*

1 **Sehen Sie die Fotos an. Was meinen Sie?**

a Mit wem telefoniert Maria?
b Wer ist die alte Dame?
c Warum besucht die Familie sie?

2 **Was ist ein Altersheim/Seniorenheim? Kreuzen Sie an.**

☐ Das ist ein Krankenhaus. Dort sind nur Menschen im Rollstuhl.
Sie können nicht laufen.

☐ Dort wohnen alte Menschen und jemand kümmert sich um sie:
Man kocht für sie das Essen und wäscht die Wäsche. Auch ein Arzt ist da, wenn sie krank sind.

CD 2 31-38 **3** **Sehen Sie die Fotos an und hören Sie.**

4   Was ist richtig? Kreuzen Sie an.

a   Wer ist Tante Erika?
- ☐ Susannes Großtante.
- ☐ Marias Großtante.

b   Warum ruft Tante Erika an?
- ☐ Weil sie ihren 80. Geburtstag feiert.
- ☐ Sie möchte, dass Susanne ihr Familienfotos bringt.

c   Wie ist der Kontakt zwischen Tante Erika und Susanne?
- ☐ Susanne besucht Tante Erika an jedem Geburtstag.
- ☐ Sie haben sich zuletzt an Tante Erikas 75. Geburtstag gesehen.

d   Was bringt die Familie Tante Erika mit?
- ☐ Eine Fotocollage, Blumen und einen Kuchen.
- ☐ Ein Fotoalbum, Blumen und einen Kuchen vom Bäcker.

e   Was wünscht sich Tante Erika?
- ☐ Sie wünscht sich mehr Geschenke.
- ☐ Sie möchte, dass die Familie sie bald wieder besucht.

5   Wie haben Sie Ihren letzten Geburtstag gefeiert? Was haben Sie gemacht? Erzählen Sie.

CD 2 39

A1 **Hören Sie noch einmal und variieren Sie.**

● Ihr könnt eine Collage machen.
Ich habe meiner Oma mal so
ein Bild geschenkt.
▲ Das ist ja eine super Idee.

Varianten:
(...) Vater ● (...) Eltern ●
(...) Enkelkind

Wer?	wem (Person)?		was (Sache)?
Ich habe	meinem	Vater	ein Bild geschenkt.
	meinem	Enkelkind	
	meiner	Oma	
	meinen	Eltern	

auch so: dein-, sein-, ihr-, ...; ein-; kein-

A2 **Was schenken Ina und Jan ihrer Familie zu Weihnachten? Schreiben Sie.**

Einladung ins Restaurant
Gutschein für einen Zoobesuch
CD
Besuch beim Hunde-Friseur

Oma
Opa
Eltern
Roxi

Pralinen
Flasche Wein
Kochbuch
Knochen

Ina schenkt ihrer Oma eine Einladung ins Restaurant.
Jan schenkt ihr Pralinen.

Ina schenkt ihrer Oma eine Einladung.
Jan schenkt ihr Pralinen.

Wiederholung
Wem?
mir
dir
ihm/ihm/ihr
uns
euch
ihnen/Ihnen

A3 **In Ihrer Familie: Wer schenkt wem was?**

Sehen Sie das Bild an und sprechen Sie mit Ihrer Partnerin / Ihrem Partner.

■ Ich schenke meiner Mutter eine Kette.
Sie liebt Schmuck. Mein Bruder schenkt ihr
sicher wieder ein Buch. Und du? Was schenkst
du deiner Mutter?

◆ Ich weiß nicht. Mein Vater schenkt ihr
wahrscheinlich ein Parfüm. Ich schenke ihr
vielleicht eine Kaffeemaschine.
Und meinem Bruder schenke ich ...

A4 **Spiel: „Geschenke raten"**

Ordnen Sie jeder Person ein Geschenk zu und schreiben Sie einen Zettel.
Spielen Sie zu zweit und raten Sie. Wer als Erster alle Geschenke erraten hat, hat gewonnen.

| Tante ● Opa ● Bruder ● Schwester ● Vater ● Mutter | der Reiseführer ● der DVD-Player ● die Schokolade ● die Handcreme ● der Geldbeutel ● das Motorrad |

meiner Tante eine Handcreme	*meiner Mutter Schokolade*
meinem Opa einen DVD-Player	*meiner Schwester ein Motorrad*
meinem Vater	*meinem Bruder*

● Schenkst du deiner Mutter eine Handcreme?
▲ Nein. Aber schenkst du ihr Schokolade?
● Ja.
▲ Kaufst du ...

Schon fertig?

Sammeln Sie Geschenkideen
für Ihre Familie/Ihre Freunde.

Was soll ich denn mit dem Bild? – Na was wohl?
Du gibst **es ihr**.

B   7

B1   **Hören Sie noch einmal und kreuzen Sie an.**

▲ Was soll ich denn mit dem Bild?
● Na, was wohl? Du gibst es ihr.

a   es = ☐ Tante Erika   ☐ das Bild
b   ihr = ☐ Tante Erika   ☐ das Bild

		was?	wem?
Du	gibst	es	**ihr**.

B2   **Ergänzen Sie. Hören Sie dann und vergleichen Sie.**

ihn dir ● ihn mir ● sie Ihnen ● es dir

A    B    C    D

▲ Ich nehme die Puppe.   ■ Probier doch den Fisch.   ◆ Ich brauche den   ▼ Wie geht dieses blöde
● Soll ich ....   Ich kann ....   Mixer. Bringst du   Ding nur an?
als Geschenk einpacken?   nur empfehlen.   .... bitte?   Ich verstehe es nicht.
                                                                                    ● Warte, ich zeige
                                                                                    .... Du musst
                                                                                    hier drücken.

B3   **Fragen Sie und antworten Sie.**

■ Kannst du mir bitte
  das Geschenkpapier geben?
◆ Du, ich schreibe gerade die Karten.
  Hol es dir bitte selbst.

 das Geschenkpapier ● die Schleife ● die Schere ● der Tesa(film) ●
 die Schnur ● das Klebeband ● 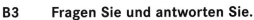 das Packpapier ● die Briefmarken

B4   **Schreiben Sie ein „Elfchen"-Gedicht und lesen Sie es dann vor.**
          Welches Gedicht im Kurs gefällt Ihnen am besten?

die Blume
für meinen Freund
ich gebe sie ihm
er lacht

1. Zeile: Was? Nennen Sie das Geschenk. (2 Wörter)
2. Zeile: Für wen ist das Geschenk? Nennen Sie die Person. (3 Wörter)
3. Zeile: Was schenken/kaufen/geben Sie wem? (4 Wörter)
4. Zeile: Schreiben Sie 2 Wörter zum Abschluss.

das Buch
für meine Mutter
ich schenke es ihr
oh wunderbar

die Kette
für meine Frau
ich kaufe sie ihr
wie teuer

C1 Sehen Sie die Gutscheine an. Was bekommt man? Ergänzen Sie.

A
Gutschein Nr.: Im Wert von

buch und mehr
Geschenkgutschein

Gültig bis: für
von

....

B
GUTSCHEIN
*für ein Abendessen
zu zweit bei Kerzenlicht
Lass Dich überraschen!*
Ich koche für Dich!

......*ein Abendessen*...

C
Atlantik-Palast Kinos
Wir wünschen viel Spaß und gute Unterhaltung!

Gutschein

für .... Karten à .... Euro.
Gültig bis ....

Atlantik-Palast Kinos

....

D
Einladung in den Zoo

Gutschein für
....

....

C2 Welche Gutscheine aus C1 passen? Ergänzen Sie.

a Für Gutschein ......*A*...... und .... kann man nur bis zu einem bestimmten Datum etwas kaufen.

b Für .... und .... gibt es keine Frist, die Gutscheine sind immer gültig.

c .... ist ein persönliches Geschenk. Das kann man nicht mit Geld kaufen.

d Bei .... und .... darf das Geschenk einen bestimmten Betrag kosten.

C3 Sprechen Sie im Kurs.

von	meinem	Freund
	meiner	Freundin

a Welchen Gutschein aus C1 möchten Sie gern bekommen? Warum?

b Haben Sie schon einmal einen Gutschein bekommen? Wenn ja, von wem?
Was war das für ein Geschenk?

c Oder haben Sie vielleicht schon einmal einen Gutschein verschenkt? Wem?
Haben Sie den Gutschein selbst gemacht oder gekauft?

d Mögen Sie Gutscheine?

Von meinem Freund habe ich
mal einen Gutschein bekommen –
für fünfmal kochen.

Gutscheine sind kein
Geschenk, finde ich.
Ich kaufe lieber etwas.

Schon fertig?
Machen Sie selbst
einen Gutschein.

D1 Zeigen Sie auf den Fotos:

die Braut ● den Brautstrauß ● das Brautpaar ● das Brautkleid ● den Bräutigam ● den Brautwalzer

D2 Lesen Sie die E-Mail und ordnen Sie die Abschnitte den Fotos zu.

Betreff: Marions und Marcos Hochzeit

Liebe Dörte,

1 vielen Dank für Deine E-Mail! Ich antworte erst jetzt, weil ich die letzten zwei Tage nicht zu Hause war. Peter und ich waren doch auf Marions Hochzeit! Ich war vorgestern sogar auf dem Standesamt mit dabei.

2 Gestern war dann die kirchliche Trauung. Wunderschön und sehr feierlich! Stell Dir vor, beim Ringtausch sind mir tatsächlich die Tränen gekommen. Auch alle anderen Frauen haben fast geweint, nur eine nicht: Marion.

3 Danach, bei der Hochzeitsfeier, haben wir viel gelacht. Beim Brautwalzer ist Marco seiner Marion auf das lange weiße Kleid gestiegen. Ratsch! Der Riss war 20 Zentimeter lang.

4 Eine halbe Stunde später haben die beiden das Messer genommen und die Hochzeitstorte angeschnitten. Rate, was passiert ist? Die Torte ist runtergefallen und beide waren total voll Sahne.

Na ja, sonst war alles toll. Die Musik war richtig gut. Peter und ich haben bis heute Morgen um drei Uhr getanzt.

Ich hoffe, wir sehen uns bald mal wieder.
Liebe Grüße, auch an Franz!

Deine müde Daniela

Abschnitt	1	2	3	4
Foto	B			

D3 Lesen Sie noch einmal und kreuzen Sie an: Richtig oder falsch?

		richtig	falsch
a	Die Braut hat in der Kirche geweint.	☐	☐
b	Beim Brautwalzer ist das Brautkleid kaputtgegangen.	☐	☐
c	Das Fest hat Daniela sehr gut gefallen.	☐	☐

D4 Erzählen Sie von der Hochzeit eines Verwandten oder eines Freundes oder von Ihrer eigenen Hochzeit.

a Wer hat geheiratet? Wann und wo war die Hochzeit?
b Was hat die Braut getragen? Und was der Bräutigam?
c Was hat es zu essen und zu trinken gegeben?
d Hat es Musik und Tanz gegeben?
e Was für Geschenke hat das Brautpaar bekommen?
f Was war besonders lustig oder komisch?

Schon fertig?
Das war eine Traumhochzeit. Schreiben Sie.

E1 Auf welches Fest möchten Sie gern gehen? Warum?

> Ich möchte auf das Straßenfest gehen. Das sieht nett aus. Da treffe ich sicher Freunde und Nachbarn. Wir können uns unterhalten und haben viel Spaß.

CD 2 42

E2 Sabine und Khaled planen ein Fest. Hören Sie.

a Was meinen Sie. Auf welche Party (E1) möchte Khaled gehen, auf welche möchte Sabine gehen?

b Hören Sie noch einmal. Wer sagt was? Ordnen Sie zu: S = Sabine / K = Khaled.

- ☐ Man kann die Gäste per SMS einladen.
- ☐ Ich möchte mit Kollegen feiern.
- ☐ Ich möchte eine Tanzparty machen.
- ☐ Hauptsache, das Essen ist gut.
- ☐ Mir ist wichtig, dass der Raum groß ist und wir genug Platz haben.
- ☐ Man sollte eine Party zu Hause feiern.
- ☐ Ich finde es toll, wenn die Leute Spaß haben und die Stimmung gut ist.
- ☐ Ich finde, wir müssen den Raum nicht dekorieren.

E3 Ein Fest planen

a Planen Sie in kleinen Gruppen: ein Fest mit einem Motto, z.B. Tänze und Musik aus aller Welt, internationale Spezialitäten, Picknick im Grünen ... Was ist Ihnen wichtig? Was nicht?

Budget • Gäste • Uhrzeit • Raum • Dekoration • Unterhaltung (Musik, Feuerwerk ...) • Essen/Trinken ...

> *Ich finde es toll, wenn ...*   *Hauptsache, ...*
> *Mir ist wichtig, dass ...*   *Ist das wirklich so wichtig?*
> *Die Hauptsache ist, dass ...*   *Muss das sein?*

b Stellen Sie Ihr Fest vor und überzeugen Sie die anderen im Kurs: Sie sollen zu Ihrem Fest kommen.

Straßenfest
Motto: Musik aus aller Welt
Freitag, ab 14 Uhr

> *Unser Motto ist ...*
> *Unser Fest findet ... statt.*
> *Wir feiern in/im ... / zu Hause bei ...*
> *Ihr müsst ...*
> *Unser Raum ist so dekoriert: ...*
> *Zum Essen/Trinken gibt es ...*
> *Und natürlich haben wir auch Musik: ...*

Grammatik

---

1 Dativ als Objekt: Possessivartikel und unbestimmter Artikel

		Dativ		
maskulin	Ich habe	meinem	Vater	ein Bild geschenkt.
neutral		meinem	Enkelkind	
feminin		meiner	Oma	
Plural		meinen	Eltern	

auch so: dein-, sein-, ihr-, unser-, euer-; ein-, kein-

·······▶ ÜG, 1.03, 2.04, 5.22

2 Syntax: Stellung der Objekte

	Dativ(pronomen)	Akkusativ
Du schenkst	ihr	*einen Kuchen.*
Du gibst	Tante Erika	*das Bild.*

	Akkusativpronomen	Dativpronomen
Du gibst	*es*	ihr.

·······▶ ÜG, 5.22

3 Modale Präposition: *von* + Dativ

	maskulin	neutral	feminin	Plural
von	meinem Freund	meinem Kind	meiner Freundin	meinen Eltern

·······▶ ÜG, 6.04

Wichtige Wendungen

Wichtigkeit ausdrücken: *Hauptsache, ...*

Ich finde es toll, wenn ... •
Mir ist wichtig, dass ... •
Die Hauptsache ist, dass ... •
Hauptsache, ... •
Ist das wirklich so wichtig? •
Muss das sein?

jemandem Hilfe anbieten

Ich verstehe es nicht.
Warte, ich zeige es dir.

Empfehlung

Probier doch den Fisch. Ich kann ihn dir nur empfehlen.

Wer ist wer?
Ein Fest und seine Gäste

Sie sind auf einer Party. Sie kennen niemand. Warum feiert man hier? Auch das wissen Sie nicht. Doch für Sie ist das kein Problem. Sie passen gut auf. Sie sehen, was die Gäste machen. Sie hören die Gespräche. Schon bald wissen Sie genau, wie die Leute heißen, was sie feiern und wer hier der Gastgeber ist. Wenn Sie gut zugehört haben, dann können Sie sogar noch ein paar zusätzliche Fragen beantworten.

1   **Sehen Sie das Bild an. Was meinen Sie?**

- ■ Worüber unterhalten sich die Leute?
- ■ Was sind typische Party-Themen?

CD 2 43-48 **2**   **Hören Sie die Gespräche und ordnen Sie die Namen zu.**

Hubert
Beate
Anna
Jenny
Chris
Georg
Edgar
Thomas
Paula
Rosemarie
Laura
Günther
Renate
Katharina
Sebastian

02 43-48

3   **Hören Sie noch einmal und beantworten Sie die Fragen.**

<u>a</u> Finden Jenny und Katharina das Essen lecker?   ☐ Ja   ☐ Nein

<u>b</u> Findet Anna es schön, wenn Laura singt?   ☐ Ja   ☐ Nein

<u>c</u> Günther   ☐ ist müde. ☐ hat Kopfschmerzen.

<u>d</u> Wie findet Chris die Party?   ☐ super   ☐ langweilig ☐ nett

<u>e</u> Welchen Sport macht Edgar?   ☐ Fußball ☐ Joggen ☐ Tennis ☐ Golf

<u>f</u> Mag Renate die Frisur von Paula?   ☐ Ja   ☐ Nein

<u>g</u> Wie heißen die beiden Gastgeber?   Sie heißen .... und ....

<u>h</u> Welcher Gast geht zuerst?   Ich denke, ... geht als Erste/r.

Fragebogen: Was kann ich schon?

Das kann ich sehr gut.

Das kann ich.

Das übe ich noch.

Hören

Ich kann Auskünfte am Telefon verstehen: *Der Kurs kostet 130 Euro pro Semester und findet immer mittwochs von 18 bis 20 Uhr statt.*

Ich kann komplexere Nachrichten auf dem Anrufbeantworter verstehen: *Hallo Frau Ebert, hier spricht Inge Berger. Haben Sie meine Nachricht bekommen?*

Ich kann Telefonansagen verstehen: *Steuerbüro Stroh und Partner, guten Tag. Sie rufen leider außerhalb unserer Bürozeiten an ...*

Ich kann einfache Nachrichtenmeldungen verstehen: *... und nun weitere Sportmeldungen: Tennis: Steffi Graf tritt zu einem Freundschaftsspiel gegen ...*

Ich kann Anweisungen am Arbeitsplatz verstehen: *Bitte schalten Sie die Geräte aus, wenn Sie abends nach Hause gehen.*

Ich kann wichtige Informationen bei Informationsveranstaltungen und Beratungsgesprächen verstehen: *Dann noch etwas zum Thema „Hausaufgaben": Die Schüler müssen ihre Hausaufgaben machen.*

Lesen

Ich kann kurze Zeitungstexte zu aktuellen Themen lesen: *Studie – Deutsche sind Freizeitweltmeister*

Ich kann einfache Briefe und E-Mails lesen: *Liebe Martina, vielen Dank für Deinen lieben Brief, ich habe mich sehr gefreut, mal wieder von Dir zu hören.*

Ich kann Mitteilungen und Ankündigungen in Mietshäusern verstehen: *Liebe Hausbewohner, der Hausmeister, Rudolf Albers, ist vom 18.08.–30.08. in Urlaub.*

Ich kann Mitteilungen am Schwarzen Brett einer Firma lesen: *Liebe Kolleginnen und Kollegen, von einigen Mitarbeitern fehlen noch die Lohnsteuerkarten.*

Ich kann Infobroschüren und Plakate zum Thema Mülltrennung verstehen: *Was gehört in die Biotonne, den gelben Sack ...?*

Ich kann einfache Werbetexte und Kursangebote in einer Zeitung verstehen: *Gesund und fit mit dem Sportverein Neustadt! Es sind noch Plätze frei für unsere Fitnessgymnastik ...*

Ich kann Kursbeschreibungen der Volkshochschule lesen: *Deutsch als Fremdsprache – Vorbereitungskurs zum Einbürgerungstest! Di, 19–21.30 Uhr, Raum ...*

Ich kann einen Arbeitsvertrag verstehen: *Die ersten zwei Wochen gelten als Probezeit.*

Sprechen

Ich kann mir einen Sitzplatz suchen: *Entschuldigung, ist hier noch frei?*

Ich kann in einem Restaurant etwas bestellen / etwas reklamieren / bezahlen: *Ich nehme einen Salat und eine Cola. / Entschuldigung, ich habe einen Milchkaffee bestellt und keinen Espresso! / Zahlen bitte!*

	Das kann ich sehr gut.	Das kann ich.	Das übe ich noch.
Ich kann einfache Konversation bei privaten Einladungen machen: *Schön, dass ihr da seid, kommt doch rein ...*			
Ich kann sagen, was ich zum Frühstück/Mittagessen/Abendessen esse und trinke: *Ich trinke meistens Tee zum Frühstück.*			
Ich kann Tipps zur Jobsuche geben: *Lesen Sie jeden Samstag den Stellenmarkt in der Zeitung.*			
Ich kann in einer Firma anrufen und mich verbinden lassen oder eine Nachricht hinterlassen: *Hacer Kara, guten Tag. Können Sie mich bitte mit Frau Schmid verbinden?/ Könnten Sie ihr bitte etwas ausrichten?*			
Ich kann telefonisch Informationen erfragen: *Gibt es bei Ihnen auch Volleyball? Wann findet das statt? Und wie viel kostet das?*			
Ich kann jemanden nach seinen Interessen oder Wünschen fragen: *Interessieren Sie sich für ...? / Hast du Lust auf ...?*			
Ich kann über meine Familie sprechen: *Mein Onkel Ahmed und meine Tante Zahra leben in Hamburg, meine Cousine Pelin studiert in Berlin.*			
Ich kann über meine Schulzeit und das Ausbildungssystem in meinem Land sprechen: *Mein Lieblingsfach war Mathe. Im Unterricht mussten wir meistens ...*			
Ich kann über meinen Berufsweg sprechen: *Ich habe nach der Schule eine Ausbildung als Bankkauffrau gemacht.*			
Ich kann über meine Wohnsituation sprechen: *Ich wohne mit zwei Freundinnen in einer WG.*			
Ich kann jemandem Ratschläge geben: *Du solltest etwas für deine Gesundheit tun.*			
Ich kann meine Meinung sagen: *Ich denke/finde/meine/bin sicher, dass ...* *Es ist wichtig, dass ...*			
Ich kann jemandem etwas empfehlen: *Probier doch mal die Torte, die ist wirklich lecker!*			
Ich kann telefonisch Informationen erfragen: *Wann findet das Fußballtraining statt?*			

Schreiben

	Das kann ich sehr gut.	Das kann ich.	Das übe ich noch.
Ich kann kurze Notizen machen: *Autoschlüssel suchen! Morgen Sarah anrufen wegen Kino!*			
Ich kann Mitteilungen an meine Nachbarn schreiben und sie um etwas bitten: *Könnten Sie bitte meinen Briefkasten leeren?*			
Ich kann eine einfache persönliche E-Mail schreiben: *Liebe Ina, ...*			
Ich kann kurze Notizen am Arbeitsplatz schreiben: *Frau Breiter hat angerufen. Sie kommt ...*			
Ich kann in einem kurzen Schreiben etwas beantragen: *Meine Tochter kann morgen nicht in die Schule kommen.*			

Inhalt Arbeitsbuch

1 A
Lektion 1: Kennenlernen
Warum fahren wir eigentlich alle zum Flughafen?
Weil Maria ...

A1

1 **Was passt? Ordnen Sie zu.**

a Sibylle fährt zum Flughafen.
b Sie wartet lange am Flughafen.
c Sie ist glücklich.
d Hisayuki möchte zwei Monate in Deutschland bleiben.

Das Flugzeug hat Verspätung.
Sie trifft Hisayuki endlich wieder.
Er will einen Deutschkurs machen.
Ihr Freund Hisayuki kommt heute aus Japan.

A1

2 **Warum fährt Sibylle zum Flughafen? Ergänzen Sie.**

sie Hisayuki endlich wieder trifft. ● das Flugzeug Verspätung hat. ● er einen Deutschkurs machen will. ●
ihr Freund ~~Hisayuki~~ heute aus Japan kommt.

a Sibylle fährt zum Flughafen, weil *ihr Freund Hisayuki heute aus Japan kommt.* ....

b Sie wartet lange am Flughafen, weil ....

c Sie ist glücklich, weil ....

d Hisayuki möchte zwei Monate in Deutschland bleiben, weil ....

....

A2
Grammatik
entdecken

3 **Markieren Sie und ergänzen Sie.**

a Marie lernt Deutsch.   Ihr Mann (ist) Deutscher.

Marie lernt Deutsch, weil ihr Mann Deutscher (............*ist*............).

b Maite lernt Deutsch.   Sie (arbeitet) bei einer deutschen Firma.

Maite lernt Deutsch, weil sie bei einer deutschen Firma ....

c Steven lernt Deutsch.   Ihm gefällt die Sprache.

Steven lernt Deutsch, weil ihm die Sprache ....

d Karim lernt Deutsch.   Er arbeitet bei Lufthansa.

Karim lernt Deutsch, weil er bei Lufthansa ....

A3

4 **Schreiben Sie Sätze.**

a Warum lernst du Deutsch?   *Weil ich Freunde in Deutschland habe* ....
Freunde – habe – in Deutschland – ich

b Warum hast du mich nicht angerufen?   *Weil* ....
keine Zeit – gestern – hatte – ich

c Warum gehst du nicht mit ins Kino?   *Weil* ....
den Film – ich – kenne – schon

d Warum geht Alfredo heute nicht in die Schule? *Weil* ....
krank – er – ist

e Warum geht ihr zum Bahnhof?   *Weil* ....
unsere Freundin – abholen – wir

Phonetik 02 **5** **Hören Sie. Achten Sie auf die Betonung / und die Satzmelodie ↗ ↘ →.**

● Warum bist du nach Deutschland gekommen? ↘

▲ Weil ich Freunde in Deutschland habe. ↘   Und weil ich Deutschland interessant finde. ↘

● Und warum bist du Au-pair-Mädchen? ↗

▲ Weil ich gerne mit Kindern spiele → und weil ich auch gerne koche. ↘

03 **Hören Sie noch einmal und sprechen Sie nach.**

Phonetik 04 **6** **Hören Sie und markieren Sie die Betonung /.**

a ■ Ich muss unbedingt noch Blumen kaufen. ↘   **c** ◆ Gehen wir morgen wirklich joggen? ↗

▲ Warum? ↘   ▲ Warum nicht? ↗

■ Weil meine Mutter Geburtstag hat. ↘   ◆ Na ja, → weil doch dein Bein wehtut. ↘

b ● Franziska kommt heute nicht zum Unterricht. ↘   **d** ■ Ich gehe nicht mit ins Kino. ↘

▼ Warum denn nicht? ↘   ● Weil dir der Film nicht gefällt → oder warum nicht? ↘

● Weil ihre Tochter krank ist. ↘   ■ Ganz einfach, → weil ich kein Geld mehr habe. ↘

7 **Warum stehst du nicht auf? Antworten Sie.**

Ich habe Kopfschmerzen. ● Ich bin noch so müde. ● Ich habe zu wenig geschlafen. ●
Ich möchte im Bett bleiben. ● Ich will meine Kleider nicht aufräumen. ● Das Wetter ist so schlecht.

Und was machen
wir heute?
Warum stehst
du nicht auf?

Weil ich Kopfschmerzen habe.
Weil …

8 **Ergänzen Sie und schreiben Sie.**

sauer ● glücklich ● müde ● traurig

Heute holen
wir Pietro ab.

Sandra ist
nicht gekommen.

a Sie sind *glücklich*............., weil *sie heute*..........   **c** Er ist ...., weil ....
Pietro abholen... .   ...

Ich habe zu wenig
geschlafen.

Ich sehe Carla
zwei Monate nicht.

b Sie ist ...., weil ....   **d** Er ist ...., weil ....
....

A3 9 Schreiben Sie Sätze mit *weil*.

__a__ Sie hat keine Zeit, *weil sie Deutsch lernen muss*.. .
muss – sie – lernen – Deutsch

__b__ Sie sind nicht zu Hause, ...
sie – gestern – gefahren – in Urlaub – sind

__c__ Er holt sie ab, ...
heute – ins Restaurant – sie – möchten – gehen

__d__ Sie ist so fröhlich, ...
ihre Freundin – ist – gekommen – heute

A3 10 Lesen Sie und antworten Sie.

Liebe Eva, lieber Paul,

am Samstag, 15. April,
werde ich 30 Jahre alt!

Ich finde, das ist ein schöner
Grund zum Feiern!

Deshalb möchte ich Euch gern
zum Abendessen einladen: um 20 Uhr
in meiner Wohnung.
Kommt Ihr?

Viele Grüße
Michaela

meine Eltern – besuchen mich –
am Wochenende ● und für Samstag –
schon Kinokarten ● Paul – auch keine
Zeit ● in Berlin ● kommt Sonntag zurück

Betreff: schade

Liebe Michaela,

vielen Dank für Deine Einladung! Es tut mir sehr leid, ich
kann nicht kommen, weil *meine Eltern mich*.................
....
....
....
....
....
....
....

Viele Grüße
Eva

A3 11 Notieren Sie im Lerntagebuch.

LERNTAGEBUCH

Warum lernen sie Deutsch?

Ich lerne Deutsch. Ich lebe in Deutschland.

Ich lerne Deutsch, **weil** ich in Deutschland lebe.

Ich lerne Deutsch. Ich möchte nach Deutschland fahren.

Ich lerne Deutsch, **weil** .... ⬚ ⬚ .

Ich lerne Deutsch. Ich habe eine Deutsche geheiratet.

................................, **weil** .... ⬚ ⬚ .

Ich lerne Deutsch. ...

➤ Portfolio

12 **Machen Sie zwei Tabellen.**

essen • fragen • lesen • schlafen • machen • antworten • finden • lernen • kochen • sagen • schreiben • holen

ge ... t				ge ... en		
	er/sie	er/sie			er/sie	er/sie
fragen	*fragt*	*hat gefragt*		*essen*	*isst*	*hat gegessen*

derholung ritte plus 1 tion 7

13 **Was ist richtig? Kreuzen Sie an.**

	hat	ist			hat	ist	
Er	☒	☐	gespielt.	Sie	☐	☐	gekommen.
Sie	☐	☒	gegangen.	Er	☐	☐	gesucht.
Er	☐	☐	geflogen.	Sie	☐	☐	gearbeitet.
Sie	☐	☐	gefahren.	Er	☐	☐	gehört.
Sie	☐	☐	gestanden.	Sie	☐	☐	gekauft.

derholung ritte plus 1 tion 7

14 **Ergänzen Sie.**

ist ... angekommen • habe ... abgeholt • ist ... eingeschlafen • ist ... abgeflogen • ist ... aufgestanden

Meine Tochter Sylvia *ist* .... heute früh um 5 Uhr *aufgestanden* ....
Um 7.45 .... sie in New York .... Nach sechs Stunden Flug
.... sie in Frankfurt .... Ich .... sie am Flughafen
.... Im Auto .... sie sofort ....

15 **Ergänzen Sie in der richtigen Form.**

a Sie ist heute früh aus Polen *angekommen* .... (ankommen)
b Wir haben sie vom Flughafen .... (abholen)
c Sie hat sofort ihre Familie in Polen .... (anrufen)
d Wir sind nach Hause .... (fahren)
e Dort hat sie ihre Koffer .... (auspacken) und ihre Kleider
.... (aufhängen)
f Sie ist früh ins Bett .... (gehen) und sofort .... (einschlafen)
g Am nächsten Tag ist sie früh .... (aufstehen)

16 **Ergänzen Sie in der richtigen Form.**

a einschlafen: Gestern *bin* ich spät ....
b abholen: Wir .... Carla am Bahnhof ....
c mitkommen: Peter .... zum Flughafen ....
d abfahren: Er .... um 8 Uhr ....
e anrufen: Ich .... Sylvia schon ....
f aufschreiben: Sie .... seine Adresse nicht ....
g einkaufen: Ich .... noch nichts ....
h auspacken: Er .... seinen Koffer schon ....
i aufhängen: Claudia .... die Jacke ....

B4   **17**   **Wie heißt das Gegenteil? Ordnen Sie zu.**

<u>a</u> Sie ist abgefahren.   Sie ist ins Bett gegangen.

<u>b</u> Sie ist aufgestanden.   Sie hat die Tür zugemacht.

<u>c</u> Sie hat die Tür aufgemacht.   Sie ist eingestiegen.

<u>d</u> Sie ist ausgestiegen.   Sie ist angekommen.

<u>e</u> Sie hat ausgepackt.   Sie hat eingepackt.

B4   **18**   **Was hat Ivana am Montag gemacht? Ergänzen Sie in der richtigen Form.**

ankommen ● gehen ● zurückfahren ● aufstehen ● einsteigen ● trinken ● essen ● fahren ● anfangen

Ivana ist um 7 Uhr *aufgestanden* (a). Dann hat sie ein Brot mit Käse .... (b)

und Tee .... (c). Danach ist sie zur Bushaltestelle .... (d).

Um 8.10 Uhr ist sie in den Bus .... (e) und ins Büro .... (f).

Um 8.30 Uhr ist sie im Büro .... (g) und hat gleich mit der Arbeit ....

.... (h). Um 17.30 Uhr ist sie mit dem Bus nach Hause .... (i).

B4   **19**   **Ergänzen Sie in der richtigen Form.**

einschlafen ● kochen ● trinken ● anrufen ● gehen ● ankommen ● zurückfahren ● aufstehen ●
arbeiten ● einkaufen

Am letzten Montag ist Pietro erst um neun Uhr .... (a). Er hat nur eine Tasse

Kaffee .... (b). Natürlich ist er zu spät in der Firma .... (c).

Bis 18.30 Uhr hat er ohne Mittagspause .... (d). Dann ist er mit dem Bus nach

Hause (e) .... und hat im Supermarkt .... (f). Danach hat

er erst einmal .... (g) und später hat er seine Freundin .... (h).

Um 24 Uhr ist er schließlich ins Bett .... (i), aber er ist lange nicht

.... (j).

B4   **20**   **Meine Reise an den Zürichsee. Schreiben Sie eine Postkarte.**

leider zu spät aufstehen → dann schnell Stefanie abholen → mit ihr mit dem Bus zum Bahnhof
fahren → dort gerade der Zug abgefahren → eineinhalb Stunden warten → um 16 Uhr in Zürich
ankommen → dort umsteigen → den Zug nach Rapperswil nehmen → am Abend endlich bei Eva
und Klaus ankommen → mit ihnen essen und einen Spaziergang am See machen

Liebe Özlem,
wie geht es Dir?
Gestern sind Stefanie und ich zu Eva und Klaus
an den Zürichsee gefahren. Leider bin ich zu
spät ...
...
...
Aber der Tag war toll! Du musst auch einmal
nach Rapperswil fahren. Es ist so schön hier!

Viele Grüße und bis bald
Monika

eibtraining   **21**   **Lesen Sie und antworten Sie.**

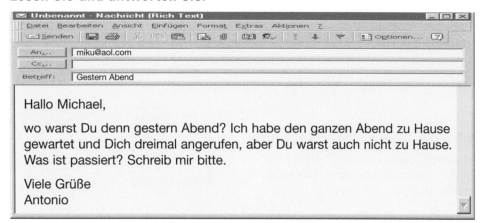

```
Unbenannt - Nachricht (Rich Text)                          _ □ ✕
Datei  Bearbeiten  Ansicht  Einfügen  Format  Extras  Aktionen  ?
Senden  │  │  │  Optionen...  ?
An...    │ miku@aol.com
Cc...    │
Betreff: │ Gestern Abend
```

Hallo Michael,

wo warst Du denn gestern Abend? Ich habe den ganzen Abend zu Hause
gewartet und Dich dreimal angerufen, aber Du warst auch nicht zu Hause.
Was ist passiert? Schreib mir bitte.

Viele Grüße
Antonio

nach Hause fahren ● etwas zusammen trinken ● sofort einschlafen ●
in eine Bar gehen ● aussteigen ● ~~Freundin treffen~~ ● spazieren gehen

```
Unbenannt - Nachricht (Rich Text)                          _ □ ✕
Datei  Bearbeiten  Ansicht  Einfügen  Format  Extras  Aktionen  ?
Senden  │  │  │  Optionen...  ?
An...    │ a.banderas@freenet.de
Cc...    │
Betreff: │ Re: Gestern Abend
```

Lieber Antonio,

es tut mir wirklich sehr leid. Du hast den ganzen Abend

auf mich gewartet und ich bin nicht gekommen. Aber

weißt Du, warum? Zuerst habe ich im Bus eine

Freundin getroffen......... Ich habe sie lange nicht gesehen.

Am Marktplatz ....

und wir ....

Dort haben wir ....

Dann .... wir noch ein bisschen durch die Stadt

.... Um halb zwei Uhr morgens

.... ich mit der letzten U-Bahn

.... Schließlich war ich um zwei zu

Hause und ....

Heute bin ich sehr müde, aber auch sehr glücklich!

Sei also bitte nicht sauer!

Bis bald!

Viele Grüße

Michael

C2

22 **Was passt? Ordnen Sie zu.**

<u>a</u> Maria hat fast das Flugzeug   verloren.

<u>b</u> Was ist denn   bekommen.

<u>c</u> Der Bus hat ein Rad   passiert?

<u>d</u> Maria hat auf der Reise keinen Kaffee   verpasst.

C2

23 **Ergänzen Sie die Tabelle im Lerntagebuch.**

Ordnen Sie die richtigen Formen in Gruppen.
Kennen Sie die richtige Form nicht? Schlagen Sie
im Wörterbuch nach.

belstellen [bə‿ʃtɛ‿b n], bestellt, bestellte,
bestellt ⟨tr.; hat⟩ : 1. ⟨etw. b⟩.

bestellen ● erklären ● erzählen ● besichtigen ● verkaufen ● studieren ●
besuchen ● verstehen ● beschreiben ● diskutieren ● versuchen ● erreichen ●
verbieten ● telefonieren ● verstecken ● bezahlen ● beginnen ● verdienen ●
verlieren ● passieren ● vergessen ● reparieren ● bekommen ● erlauben ● erhalten

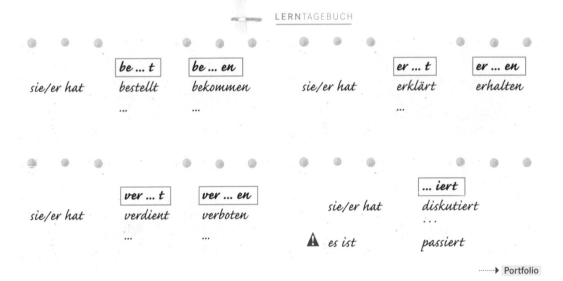

LERNTAGEBUCH

sie/er hat	be … t	be … en		sie/er hat	er … t	er … en
	bestellt	bekommen			erklärt	erhalten
	…	…			…	

sie/er hat	ver … t	ver … en		sie/er hat	… iert
	verdient	verboten			diskutiert
	…	…		⚠ es ist	…
					passiert

········▶ Portfolio

C3 Phonetik **24** **Hören Sie und sprechen Sie nach.**
CD3 05

bekommen   Hast du meine SMS bekommen?

bezahlen   Ich habe schon bezahlt.

besuchen   Wann hat Mirko dich denn besucht?

verpassen   Ich habe fast den Bus verpasst.

verlieren   Ich habe zehn Euro verloren.

verstehen   Das habe ich nicht verstanden.

vergessen   Hast du unseren Termin vergessen?

erklären   Du hast mir das sehr gut erklärt.

erleben   So etwas habe ich noch nie erlebt.

erzählen   Das hast du mir schon oft erzählt.

25 **Ergänzen Sie in der richtigen Form.**

a ▲ Das habe ich dir doch schon zweimal .*erklärt*..................... ! (erklären)

● Aber ich habe es immer noch nicht .... (verstehen)

b ■ Wann hat der Film denn .... ? (beginnen)

◆ Vor fünf Minuten.

c ■ Was haben Sie denn am Sonntag gemacht?

● Ich habe meine Freundin in Dresden .... (besuchen)

d ▲ Gehen wir?

● Aber wir müssen noch bezahlen.

▲ Nein, nein, ich habe schon alles .... (bezahlen)

● Vielen Dank, das ist sehr nett von dir.

e ■ Kann ich noch eine Cola haben, Papa?

◆ Nein, jetzt ist es genug!

■ Warum denn nicht?

◆ Cola ist nicht gesund. Aber das haben wir schon so oft .... ! (diskutieren)

f ■ Wie peinlich, ich habe mein Geld .... (vergessen)

▼ Kein Problem, ich kann dir etwas leihen.

g ▲ Habt ihr schon etwas zu essen .... ? (bestellen)

● Nein, wir haben noch auf dich gewartet.

26 **So ein Pech! Wählen Sie eine Situation und schreiben Sie.**

a zu spät aufstehen ● schnell die Koffer packen ●
kein Taxi bekommen ● zum Bahnhof laufen ●
den Zug verpassen

b

Situation 1
Susanne ist zu spät............................

....

....

....

....

....

....

Situation 2
Albert Schön war in Urlaub.....................

....

....

....

....

....

....

1 **D** Familie und Verwandtschaft

D1

27 **Schreiben Sie den Satz anders.**

a Ist das Opas Hose? → *Ist das die Hose von Opa* ?

b .... ? → Ist das der Onkel von Peter?

c Ist das Frau Baumanns Mann? → .... ?

d .... ? → Ist das das Haus von Tante Käthe?

e Ist das Adrianos Freundin? → .... ?

f .... ? → Ist das die Tochter von Angela?

D2

28 **Rätsel: Wer ist das? Ergänzen Sie.**

Großvater/Opa ● Tante ● Großmutter/Oma ● Neffe ● Schwager ● Onkel ● Cousine ● Nichte ● Cousin ● Großeltern ● Schwägerin

a Die Eltern von meinen Eltern sind meine *Großeltern*......, das heißt mein .... und meine ....

b Die Schwester von meiner Mutter oder meinem Vater ist meine ....

c Der Bruder von meiner Mutter oder meinem Vater ist mein ....

d Die Tochter von meiner Tante und meinem Onkel ist meine ....

e Der Sohn von meiner Tante und meinem Onkel ist mein ....

f Die Tochter von meiner Schwester oder meinem Bruder ist meine ....

g Der Sohn von meiner Schwester oder meinem Bruder ist mein ....

h Die Ehefrau von meinem Bruder ist meine ....

i Der Ehemann von meiner Schwester ist mein ....

D2

29 Ordnen Sie die Personen aus Übung 28 zu.

der ...	die ...
Großvater	Großmutter
...	...

D3

30 Familie: Suchen Sie noch zehn Wörter.

S	C	H	W	E	S	T	E	R	A
C	O	U	S	I	N	A	D	B	M
H	M	H	C	H	O	N	K	E	L
W	A	L	E	O	P	T	E	L	W
A	R	T	S	Z	A	E	U	T	I
G	A	S	C	B	R	U	D	E	R
E	N	K	E	L	K	I	N	D	N
R	B	F	L	N	M	E	L	N	U
N	E	F	F	E	V	A	T	E	R
R	A	M	D	N	I	C	H	T	E

1 Schwester
2 Oma
3 ...

D3

31 **Wer sind Ihre fünf Lieblingsverwandten? Warum? Schreiben Sie.**

viel lachen ●
fröhlich sein ●
gut kochen ● ...

1. *Meine/Mein* .... : *Weil sie/er* ....

2. .... : ....

3. .... : ....

4. .... : ....

5. .... : ....

zweiundneunzig **92** LEKTION 1

32 **Ergänzen Sie.**

die Kleinfamilie ● die Großfamilie ● der Single ● der alleinerziehende Vater

a Vater, Mutter, Kinder, Großeltern oder auch ein Onkel oder eine Tante leben in einem Haus:
die Großfamilie....................................

b Ein Mann lebt mit seinem Kind / seinen Kindern in einer Wohnung: ....

c Vater, Mutter und ein oder zwei Kinder leben zusammen: ....

d Eine Frau oder ein Mann lebt allein: ....

33 **Chaos oder Harmonie?**

a Was ist eine Wohngemeinschaft (WG)? Was meinen Sie? Kreuzen Sie an.

☐ Das ist eine Großfamilie; alle wohnen zusammen in einem Haus / einer Wohnung.

☐ Das ist eine Gruppe von Personen. Sie sind nicht verwandt. Sie wohnen zusammen in einem Haus / einer Wohnung, weil das billig ist oder weil sie nicht allein wohnen wollen.

b Lesen Sie den Text und vergleichen Sie mit Ihrer Antwort aus a.

Chaos oder Harmonie
oder: Hey, das ist mein Joghurt …!

Angelika, Linda und Rosa wohnen seit zwei Jahren in einer Wohnung. Jede hat ihr Zimmer, aber die Küche, das Bad und die Toilette benutzen sie zusammen. Wir haben
5 **gefragt: Wie gefällt euch das Leben in der „Wohngemeinschaft"?**

Angelika

„Ich wohne gern mit Rosa und Linda zusammen. Ganz alleine in einer Wohnung?
10 Nie! Wir frühstücken zusammen oder kochen auch mal am Abend etwas für uns drei. Dann erzählen wir, was an dem Tag passiert ist. Wir sprechen über
15 Probleme oder wir haben einfach nur Spaß zusammen. Es ist immer jemand da. Ich finde eine WG optimal, weil mir meine Familie manchmal fehlt. Aber Rosa und Linda sind oft wie Schwestern für mich.
20 Mir gefällt es hier in der WG sehr gut."

Linda

„Natürlich finde ich es auch schön, mit meinen Freundinnen zusammenzuleben. Aber es gibt auch Probleme und Diskussionen: Wer kauft heute ein? Wer 25 putzt? Wer darf am Morgen zuerst ins Bad? Wer darf welche Sachen nehmen?
Gestern habe ich zum Beispiel meinen Lieblingsjoghurt gekauft und heute ist er weg. 30 Angelika oder Rosa oder Freunde haben ihn gegessen. Am besten schreibt man alles auf einen Zettel: „Der Joghurt ist von Linda. Bitte nicht essen!" oder: „Angelika, bitte heute die Küche putzen!" Und dann das Telefon! 35 Nonstop! – Weil immer jemand für Rosa anruft. Und das finde ich alles nicht so gut. Da möchte ich manchmal doch lieber wieder alleine leben. Da hat man diese Probleme nicht." 40

c Lesen Sie noch einmal. Wer sagt das? Kreuzen Sie an.

	Angelika	Linda
1 Wir diskutieren auch: Wer muss was machen?	☐	☐
2 Wir machen viel zusammen. Das gefällt mir!	☐	☐
3 Meine Freundinnen sind für mich wie eine Familie.	☐	☐
4 In einer WG wohnen ist nicht immer einfach, denn es gibt auch Probleme.	☐	☐

Familie und Verwandte

Cousin der, -s	Schwager der, ⸚ ....
Cousine die, -n	Schwägerin die, -nen ....
Ehefrau die, -en	Schwiegereltern die (Pl.) ....
Ehemann der, ⸚er	Schwiegermutter die, ⸚er ....
Ehepaar das, -e	
Enkel der, -	Schwiegervater der, ⸚er ....
Enkelkind das, -er	Verwandte der/die, -n ....
Neffe der, -n	Verwandtschaft die ....
Nichte die, -n	Stammbaum der, ⸚e ....
Onkel der, -	erziehen, hat erzogen ....
Tante die, -n	verwandt sein mit ....

Lebensformen

Großfamilie die, -n	allein erziehend ....
Kleinfamilie die, -n	geschieden ....
Single der, -s	getrennt (leben) ....
Wohngemeinschaft die, -en	schwanger ....
	verheiratet mit (sein) ....
ein Baby bekommen	zusammen·leben, hat zusammengelebt ....

Gefühle (ausdrücken)

fröhlich	traurig ....
nervös	glücklich ....
sauer	

Weitere wichtige Wörter

Au-pair-Mädchen,
das, - ....

Ausrede die, -n ....

Bekannte der/die, -n ....

Besuch der, -e ....

Dach das, ¨er ....

Ende das, -n ....

Form die, -en ....

Halt der ....

Mal das, -e ....

Postkarte die, -n ....

Rad das, ¨er ....

Richtung die, -en ....

Sitz der, -e ....

an·machen,
hat angemacht ....

auf·hängen,
hat aufgehängt ....

auf·stehen,
ist aufgestanden ....

aus·gehen,
ist ausgegangen ....

aus·packen,
hat ausgepackt ....

aus·steigen,
ist ausgestiegen ....

bekommen,
hat bekommen ....

besichtigen,
hat besichtigt ....

diskutieren,
hat diskutiert ....

ein·schlafen,
schläft ein,
ist eingeschlafen ....

ein·steigen,
ist eingestiegen ....

erleben, hat erlebt ....

passieren, ist passiert ....

recht haben,
hat recht gehabt ....

sitzen, hat gesessen ....

vergessen, vergisst,
hat vergessen ....

verlieren, hat verloren ....

verpassen, hat verpasst ....

verstehen,
hat verstanden ....

versuchen,
hat versucht ....

vor·stellen (sich etwas),
hat vorgestellt ....

zu Besuch kommen ....

(un)bequem ....

fertig ....

fast ....

ganz ....

total ....

am Ende ....

dann ....

einzig- ....

endlich ....

letzt- ....

möglichst ....

öfters ....

wahrscheinlich ....

wenigstens ....

zuerst ....

A2 **1** **Was passt? Kreuzen Sie an.**

		steht	liegt	hängt	steckt	
a	Das Papier	☐	☒	☐	☐	auf dem Tisch.
b	Die Flasche	☒	☒	☐	☒	im Papierkorb.
c	Das Bild	☐	☐	☐	☐	an der Wand.
d	Der Müllcontainer	☐	☐	☐	☐	vor dem Haus.
e	Das Buch	☐	☐	☐	☐	im Regal.
f	Die Hose	☐	☐	☐	☐	im Kleiderschrank.
g	Der Teppich	☐	☐	☐	☐	auf dem Boden.
h	Die Lampe	☐	☐	☐	☐	an der Wand.
i	Das Handy	☐	☐	☐	☐	in der Jacke.
j	Kurt	☐	☐	☐	☐	neben der Tür.

A2 **2** **Ergänzen Sie in der richtigen Form** *stehen – liegen – hängen – stecken*.

a ▲ Wo ist denn mein Buch?

● Das .*steht*.............. im Regal oder es .... neben deinem Bett.

b ▼ Wo ist denn nur mein Handy?

◆ .... es wieder in deiner Jacke? Oder .... es auf dem Tisch?

c So, jetzt .... das Bild an der Wand!

d Bei uns .... die Müllcontainer vor dem Haus.

e Am Sonntag .... unsere Katze immer bei uns im Bett.

f Schau mal nach oben. Da .... unsere neue Lampe.

g Unser Hund .... den ganzen Tag unter dem Sofa und schläft.

Wiederholung
Schritte plus 2
Lektion 11

3 **Wo ist der Ball? Ergänzen Sie.**

auf ● vor ● unter ● in ● hinter ● neben ● über ● ~~an~~ ● zwischen

.*an*.......... ....

A2 **4** **Ergänzen Sie** der – das – die.

.*der*...... Teppich	.... Wand	.... Stuhl	.... Papierkorb	.... Jacke
.... Katze	.... Tisch	.... Tasche	.... Regal	.... Schrank
.... Boden	.... Sofa	.... Fenster	.... Tür	.... Bett

A3 **5** **Was ist richtig? Kreuzen Sie an.**

a	Das Handy steckt	☐ in die	☒ in der	Jacke.
b	Die Zeitung liegt	☐ vor das	☐ vor dem	Sofa.
c	Unsere Katze liegt	☐ zwischen den	☐ zwischen die	Stühlen.
d	Das Bild hängt	☐ an die	☐ an der	Wand.
e	Die Schokolade liegt	☐ auf den	☐ auf dem	Schrank.
f	Der Hund steht	☐ neben die	☐ neben der	Katze.
g	Das Hemd liegt	☐ unter dem	☐ unter das	Bett.
h	Das Buch steht	☐ im	☐ ins	Regal.
i	Die Lampe hängt	☐ über dem	☐ über den	Tisch.
j	Der Ball liegt	☐ hinter der	☐ hinter dem	Papierkorb.
k	Das Radio steht	☐ vor dem	☐ vor das	Fenster.

6 **Wo ist …? Machen Sie eine Tabelle und ordnen Sie die Sätze aus Übung 5.**

		der / das	die	die
a	*Das Handy steckt*		*in **der** Jacke.*	
b	*Die Zeitung liegt*	*vor **dem** Sofa.*		
c	*Unsere Katze liegt*			*zwischen **den** Stühlen.*
d	*…*			

7 **Janas Zimmer**

a Was ist das? Ergänzen Sie.

1 *das Bett*	**6**	**11**	**16**
2	**7**	**12**	**17**
3	**8**	**13**	**18**
4	**9**	**14**	**19**
5	**10**	**15**	**20**

b Wie sieht das Zimmer aus? Schreiben Sie.

Der Schreibtisch steht neben dem Bett. Vor dem Schreibtisch …

8 **Wie sieht Ihr Zimmer / Ihre Wohnung aus? Zeichnen Sie und sprechen Sie.**

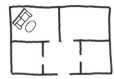

Wir wohnen in einer Wohnung.
Sie hat vier Zimmer.
Im Wohnzimmer steht ein Sofa.
Vor dem Sofa steht ein Tisch …

B2 | **9** | **Ergänzen Sie.**

| Wohin? | | Wo? |

a Sie stellt die Fotos auf den Tisch.

Die Fotos stehen
auf dem Tisch .

b Sie legt die Hose auf das Bett.

Die Hose liegt
....

c Sie hängt das Bild an die Wand.

Das Bild hängt
....

B2 | **10** | **Was ist richtig? Kreuzen Sie an.**

Wohin?	Wo?
Ich lege das Buch ...	Das Buch liegt ...

a ☒ auf den Tisch.   ☐ auf den Tisch.
   ☐ auf dem Tisch.   ☐ auf dem Tisch.

b ☐ auf dem Schreibtisch.   ☐ auf dem Schreibtisch.
   ☐ auf den Schreibtisch.   ☐ auf den Schreibtisch.

c ☐ neben dem Bett.   ☐ neben dem Bett.
   ☐ neben das Bett.   ☐ neben das Bett.

d ☐ in den Schrank.   ☐ in den Schrank.
   ☐ im Schrank.   ☐ im Schrank.

e ☐ unter den Stuhl.   ☐ unter den Stuhl.
   ☐ unter dem Stuhl.   ☐ unter dem Stuhl.

B2 | **11** | **Wohin hat Jana die Dinge gestellt, gelegt, gehängt? Ergänzen Sie.**

neben das • an die • unter den • an die • ins • an die • auf den • in den • auf den • neben das

a Sie hat den Schreibtisch *neben das* Bett gestellt.
b Sie hat das Bett .... Wand gestellt.
c Sie hat das Regal .... Fenster gestellt.
d Sie hat die Kleider .... Kleiderschrank gehängt.
e Sie hat die Lampe .... Decke gehängt.
f Sie hat die Bücher .... Regal gestellt.
g Sie hat die Schreibtischlampe .... Schreibtisch gestellt.
h Sie hat das Bild .... Wand gehängt.
i Sie hat den Teppich .... Tisch gelegt.
j Sie hat die Blumen .... Tisch gestellt.

rammatik
ntdecken

12 Ergänzen Sie die Tabelle.

	Der Stuhl **steht** ...	**Ich stelle** den Stuhl ...
das Zimmer	*in dem* ➔ **im** Zimmer.	*in das* ➔ **ins** Zimmer.
der Schreibtisch	*an dem* ➔ **am** Schreibtisch.	**an den** Schreibtisch.
der Schrank	*neben* ...	...
die Wand	*an* ...	...
das Fenster	*unter* ...	...

13 Wohin stellen, legen, hängen wir ...? Schreiben Sie.

a das Regal – das Fenster ● die Lampe – die Decke

b die Schreibtischlampe – das Regal ●
  das Bild – die Wand

c die Kleider – den Kleiderschrank ●
  den Tisch – die Mitte

d den Fernseher – das Regal ● die CDs – den Tisch

e die Stühle – den Tisch ● das Bett – die Tür

> Das Regal stellen wir neben das Fenster
> und die Lampe hängen wir an die Decke.

14 Ergänzen Sie in der richtigen Form.

stellen ● ~~stecken~~ ● ~~liegen~~ ● hängen ● stecken ● ~~legen~~ ● hängen ● stehen

a ● Wohin hast du das Geld ..*gelegt*.......... ?   ▼ Oh, das ..*liegt*............... auf dem Tisch.

b ● Wohin hast du das Buch ....?   ▼ Das .... im Regal.

c ● Wohin hast du die Tasche ....?   ▼ Die .... am Stuhl.

d ● Wohin hast du das Handy ....?   ▼ Das .... in der Tasche.

15 Wo ist mein Handy? Ergänzen Sie.

▲ Wo ist denn bloß mein Handy?

a ● Hast du es ..*auf den*........ Schreibtisch
  gelegt? (auf)
  ▲ Nein, ..*auf dem*........ Schreibtisch ist es nicht.

b ● Hast du es .... Regal
  gelegt? (in)
  ▲ Nein, ... Regal ist es auch nicht.

c ● Ist es vielleicht .... Bett? (unter)
  ▲ .... Bett ist es auch nicht.

d ● Hast du es ....
  Kleider gelegt? (zwischen)
  ▲ Nein, ... Kleider......
  ist es auch nicht!

e ● Und .... Sofa? (neben)
  ▲ Nein, ... Sofa liegt es auch nicht!

f ● Hast du es vielleicht .... Tasche
  gesteckt? (in)
  ▲ Nein, ... Tasche steckt es auch nicht!

g ● Liegt es .... Fernseher? (vor)
  ▲ Nein, ... Fernseher liegt es nicht!

h ● Du hast es doch nicht ....
  Papierkorb gesteckt! (in)
  ▲ .... Papierkorb? Da muss ich mal
  nachsehen ...

B3

16   **Wohin mit dem Müll? Ordnen Sie zu.**

an der • im • in die • in die • in die • in den • in den • in den • vor das • vor dem • vor die • zur

a Also, bei uns ist es so: Man darf den Müll nicht einfach *in die* .... Tonne werfen. Wir müssen den Müll trennen. Glas kommt .... Container für Altglas. Die Container stehen .... Straße.

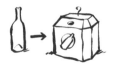

der Altglas-container

b Das Altpapier kommt .... Altpapiercontainer. Der steht .... Hof. Manchmal kommen auch junge Leute und holen das Altpapier. Dann legen wir unsere alten Zeitungen .... Tür.

der Altpapier-container

c Plastik kommt .... gelben Sack. Den stellen wir .... Haus. Alle 14 Tage kommt die Müllabfuhr und holt ihn.

der gelbe Sack

d Lebensmittelreste nennt man „Biomüll". Den muss man .... braune Tonne werfen. Die steht .... Haus.

die braune Tonne

e Alte Geräte, zum Beispiel Waschmaschinen, fahren wir .... Sammelstelle, zum „Wertstoffhof".

der Wert-stoffhof

B4 Projekt

17   **Mülltrennung**

Gemeinde Ismaning und Landkreis München

Trennliste für Ihre Biotonne

Ja	Nein
Küche	**Restmüll**
● Obst-, Salat-, Gemüseabfälle	● Alle Arten von Asche
● Schalen von Südfrüchten	● Staubsaugerbeutel
● Speisereste	● Hygieneartikel, Windeln
● Verdorbene Lebensmittel	● Zigarettenkippen
● Eier-, Nussschalen	● Katzenstreu
● Kaffeefilter, Teebeutel	● Glühbirnen
● Brot- und Gebäckreste	● Tapetenreste

a Wie ist es in Ihrem Wohnort? Wie trennt man da den Müll? Sammeln Sie Informationen.

■ Was muss man trennen?
■ Welche Mülltonnen stehen vor dem Haus?
■ Welche Container gibt es bei Ihnen?
■ Gibt es einen Wertstoffhof?
■ Gibt es Sammlungen, z. B. Papier, Sperrmüll? Wer holt die Sachen?

b Berichten Sie im Kurs.

Bei uns / In ... gibt es / gibt es keine ...
Bei uns stehen die ...container / Mülltonnen ...

18 **Wohin geht sie? Ordnen Sie zu und schreiben Sie.**

a *Sie geht aus dem Haus* .... A
  Sie geht raus ....

b ....
  ....

c ....
  ....

d ....
  ....

e ....
  ....

aus dem Haus •
ins Haus •
in den Hof •
raus • rüber •
über die Straße •
runter • in den
dritten Stock •
rauf • rein

19 **Ergänzen Sie *raus – rein – rauf – runter – rüber*.**

a in den Supermarkt ....*rein*................ d aus dem Supermarkt ....

b über die Straße .... e in den Keller ....

c in den zehnten Stock ....

20 **Was darf und kann man hier nicht? Ordnen Sie zu und schreiben Sie.**

a *Hier darf man nicht runterfahren* ....

b ....
  ....

c ....
  ....

d ....
  ....

e ....
  ....

f ....
  ....

reingehen •
rausgehen •
raufgehen •
rauffahren •
rübergehen •
runterfahren

C3

21   **Notieren Sie im Lerntagebuch.**

Schreiben Sie und zeichnen Sie.
Die Zeichnungen helfen Ihnen beim Wörterlernen.

LERNTAGEBUCH

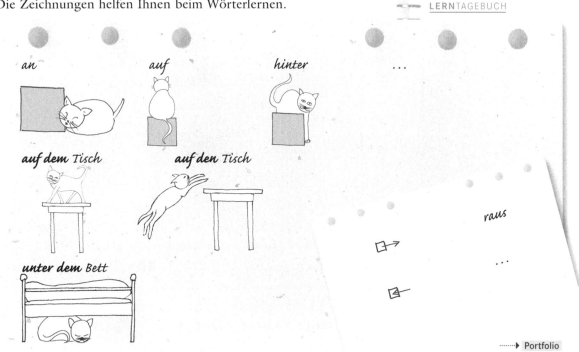

an

auf

hinter

...

auf dem Tisch

auf den Tisch

unter dem Bett

raus

...

········▶ Portfolio

C3 Phonetik
CD3 06   **22**   **Wo hören Sie _ü_? Im 1. Wort oder im 2. Wort? Kreuzen Sie an.**

	1.	2.		1.	2.		1.	2.
a	☐	☐	**c**	☐	☐	**e**	☐	☐
b	☐	☐	**d**	☐	☐	**f**	☐	☐

C3 Phonetik
CD3 07   **23**   **Hören Sie und sprechen Sie nach.**

a   Briefe – Brüder ● mieten – müde ● fliegen – Flüge ● vier – für ●
Brille – Brücke ● Mitte – Müll

b   viel Müll
Ganz schön viel Müll!
Das ist aber ganz schön viel Müll!

d   In Münster.
Mitten in Münster.
Das Kino ist mitten in Münster.

c   vor die Tür stellen
Bitte den Müll vor die Tür stellen!
Herr Müller, würden Sie bitte den
Müll vor die Tür stellen!

e   Aber natürlich.
Aber natürlich müssen Sie.
Aber natürlich müssen Sie viel üben.

C3 Phonetik
CD3 08   **24**   **Hören Sie und sprechen Sie nach.**

a   lesen – lösen ● sehen – hören ● kennen – können ● Wetter – Wörter
b   Lest den Text und löst dann die Aufgabe.
c   Wir kennen das Wort und können es schreiben.
d   Ich sehe nichts und höre nichts.
e   Ich nehme ein Brötchen.

25 Wie heißen die einzelnen Wörter? Schreiben Sie.

a der Hausschlüssel *das Haus* + *der Schlüssel*
das Kinderzimmer *die Kinder* + ...
das Schuhregal .... + ...
der Papierkorb .... + ...
das Müllauto .... + ...
b das Schlafzimmer *schlafen* + *das Zimmer*
das Wohnzimmer .... + ...
der Schreibtisch .... + ...
die Waschmaschine .... + ...
die Stehlampe .... + ...

26 Ordnen Sie zu und schreiben Sie.

a Bio — Lampe → ....
b Kinder — Wagen → ....
c Bücher — Müll → *der Biomüll*
d Haus — Regal → ....
e Schreibtisch — Tasche → ....
f Hand — Tür → ....

27 Was passt nicht? Streichen Sie durch und ordnen Sie dann zu.

a Arbeitszimmer – Müllauto – Bad – Kinderzimmer – Flur – Toilette — Haus
b Altpapier – Biomüll – Papierkorb – Restmüll – Sofa – Mülltonne — Wohnung
c Fernseher – Kühlschrank – Waschmaschine – Hofeinfahrt – Radio – Herd — Müll
d Schreibtisch – Stuhl – Küche – Bücherregal – Kleiderschrank – Sofa — Geräte
e 1. Stock – Hof – Garage – Altglas – Garten – Keller — Möbel

Phonetik 3 09 28 Hören Sie und sprechen Sie nach.

a Háus und Schlüssel ↗ – Háusschlüssel ↘ **b** schláfen und Zimmer ↗ – Schláfzimmer ↘
Háus und Tür ↗ – Háustür ↘ schréiben und Tisch ↗ – Schréibtisch ↘
Papíer und Korb ↗ – Papíerkorb ↘ wáschen und Maschine ↗ – Wáschmaschine ↘
Spórt und Verein ↗ – Spórtverein ↘ fáhren und Karte ↗ – Fáhrkarte ↘

Phonetik 29 Was passt zusammen? Sprechen Sie.

Ball • Haus • Stadt • Kinder • Fahrer • Platz • Kurs • Schuhe

Bus und Fahrer → Busfahrer   Fuß und ... → Fuß ...
... und Plan → ... plan   Haus und ... → Haus ...
Arbeit und ... → Arbeits ...   Miete und ... → Miets ...
... und Garten → ... garten   Sprache und ... → Sprach ...

D2

30 **Ergänzen Sie.**

Vielen Dank für • Liebe Hausbewohner • Ihre • verloren • im Haus

.... ,

ich habe gestern meinen Pullover ....
Er ist dunkelrot. Vielleicht hat ihn jemand .... gefunden?
.. Ihre Mithilfe.

.... Benita Retzer, 3. Stock Mitte

D2
Schreibtraining

31 **Wo ist meine Katze? Ordnen Sie den Text und schreiben Sie die Mitteilung.**

☐ *Sie ist weiß und grau und hat einen Fleck an der Nase.*
  Sie ist seit zwei Tagen nicht mehr nach Hause gekommen.
  Wer hat sie gesehen?
☐ *Ihre Amelie Schröter*
☐ *Hilfe! Ich suche meine Katze.*
☑ *Liebe Nachbarn!*
☐ *Der Finder bekommt 10 Euro Belohnung!*

Liebe Nachbarn!

D2
Schreibtraining

32 **Schreiben Sie eine Mitteilung an Ihre Nachbarn.**

bald ~~wieder Sommer~~ sein • auch dieses Jahr ein Hausfest • wer mithelfen? • wer Getränke kaufen? •
wer etwas zu essen mitbringen? • Frau Winter informieren • hoffentlich viele kommen und mitmachen

An alle Nachbarn im Haus!
Es ist bald wieder Sommer und wir machen ....
....
....
....
....
....
....
....
Viele Grüße ....

Prüfung **33** **Der Heizungsdienst kommt. Lesen Sie die Mitteilung und kreuzen Sie an.**

Braunato
Heizung
Warmwasser

Jahresablesung

BRAUNATO Wärmemesser GmbH
66954 Pirmasens

Peter Kuhn
Heizungs- und Installationsservice
Veilchenweg 12
66994 Dahn

Adresse *Geisdorferstr. 121*

Sehr geehrte Damen und Herren,
die Ablesung der Heizung findet statt

am *Donnerstag, 18. Januar*, von *7:30* bis *9:30*

- Sorgen Sie bitte dafür, dass in dieser Zeit jemand in der Wohnung ist.
- Entfernen Sie bitte Möbelstücke vor den Heizkörpern.
- Geben Sie bitte bei Abwesenheit den Schlüssel bei einem Nachbarn ab.

Mit freundlichen Grüßen
Ihr Messdienst

P. Kuhn

	richtig	falsch
1 Der Heizungsdienst kommt am 18. Januar am Nachmittag.	☐	☐

2 Der Heizungsservice möchte, dass ...
a alle Leute ihre Wohnung verlassen. ☐
b nichts vor der Heizung steht oder auf der Heizung liegt. ☐
c man den Schlüssel dem Heizungsableser gibt. ☐

34 **Was passt? Ordnen Sie zu.**

Am 18. Januar sind Sie nicht da. Ihr Nachbar, Herr Regner, ist tagsüber zu Hause.
Sie bitten ihn, die Firma in die Wohnung zu lassen. Sie schreiben eine kurze Nachricht und stecken
sie in seinen Briefkasten, weil Herr Regner gerade im Urlaub ist.

1 Was machen Sie am 18. Januar?

2 Was soll Herr Regner tun?

3 Bedanken Sie sich bei Herrn Regner.

Vielen Dank für Ihre Hilfe und herzliche Grüße

Die Heizungsfirma kommt am 18.1. Leider muss ich an diesem Tag arbeiten. Ich kann nicht freinehmen.

Könnten Sie die Firma bitte in meine Wohnung lassen? Ich werfe den Hausschlüssel in Ihren Briefkasten.

Prüfung **35** **Schreiben Sie eine Mitteilung an Ihre Nachbarin / Ihren Nachbarn.**

Der Stromableser kommt morgen. Sie haben aber einen Termin in der Stadt. Sie geben Ihren
Schlüssel bei der Hausverwaltung ab. Ihre Nachbarin, Frau Stegner, soll den Schlüssel dort
abholen und die Firma in die Wohnung lassen. Danken Sie Frau Stegner für ihre Hilfe.

Liebe Frau Stegner,

....

....

....

....

....

Viele Grüße
Ihr(e) ....

Müll

Abfall der, ¨e	....	entfernen, hat entfernt	....
Altglas das	....	leeren, hat geleert	....
Altpapier das	....	ordnen, hat geordnet	....
Biomüll der	....	trennen, hat getrennt	....
Restmüll der	....	werfen, wirft, hat geworfen	....
Müll der	....	weg·werfen, wirft weg, hat weggeworfen	....
Plastik das	....		
Müllabfuhr die	....		
Müllmann der, ¨er	....		
Mülltonne die, -en	....		
Sauberkeit die	....		
Tonne die, -n	....		

Im Mietshaus

Aufzug der, ¨e	....	Messung die, -en	....
Bewohner der, -	....	Mieter der, -	....
Briefkasten der, ¨	....	Mitbewohner der, -	....
Einfahrt die, -en	....	Mitteilung die, -en	....
Einzug der, ¨e	....	Keller der, -	....
Hausverwaltung die, -en	....	Regel die, -n	....
Heizkörper der, -	....	Vermieter der, -	....
Hof der, ¨e	....	Vermieterin die, -nen	....

In der Wohnung

Boden der, ¨	....	Verbrauch der den Verbrauch ablesen	....
Decke die, -n	....	ein·richten, hat eingerichtet	....
Gegenstand der, ¨e	....	lassen, lässt, hat gelassen	....
Platz der, ¨e	....	in die Wohnung lassen	....
Schloss das, ¨er	....		
Teppich der, -e	....		
Wand die, ¨e	....		

hängen, hängt,
  hat gehängt /
  hat gehangen   ....

legen, hat gelegt   ....

liegen, hat gelegen   ....

stecken, hat gesteckt   ....

stehen, hat gestanden   ....

stellen, hat gestellt   ....

Richtungsangaben

raus·kommen,
  ist rausgekommen   ....

rein·kommen,
  ist reingekommen   ....

rauf-   ....

raus-   ....

rein-   ....

rüber-   ....

runter-   ....

Weitere wichtige Wörter

Abwesenheit die   ....

Aufgabe die, -n   ....

CD die, -s   ....

Ding das, -er   ....

Katze die, -n   ....

Kinderwagen der, -   ....

Lösung die, -en   ....

Tafel die, -n   ....

Verständnis das   ....

Vertretung die, -en   ....

ab·stellen,
  hat abgestellt   ....

an·schauen,
  hat angeschaut   ....

beschreiben,
  hat beschrieben   ....

besprechen,
  bespricht,
  hat besprochen   ....

erstellen, hat erstellt   ....

gießen, gießt,
  hat gegossen   ....

hoffen, hat gehofft   ....

tun, tut, hat getan   ....

verlassen, verlässt,
  hat verlassen   ....

weg·fahren,
  fährt weg,
  ist weggefahren   ....

sauber   ....

schwierig   ....

dafür   ....

erst einmal   ....

miteinander   ....

A1 **1** **Schwimmen Sie gern? Lesen Sie die Sätze und ordnen Sie zu.**

a Ich gehe fünfmal pro Woche schwimmen.

b Zweimal im Monat schwimmen – das ist genug!

c Schwimmen? Dreimal im Jahr – das ist okay!

d Schwimmen, nein danke.

Ich gehe selten schwimmen.

Ich gehe nie schwimmen.

Ich gehe oft schwimmen.

Ich gehe manchmal schwimmen.

A1 **2** **Ergänzen Sie *immer – oft – selten – nie*.**

a Wir trinken jeden Morgen zum Frühstück ein Glas Orangensaft. Wir trinken zum Frühstück .... ein Glas Orangensaft.

b Meine Kinder dürfen nur am Sonntag fernsehen. Die Kinder von meiner Freundin dürfen jeden Tag fernsehen. Meine Kinder sehen nur .... fern, aber die Kinder von meiner Freundin sehen .... fern.

c Stefan macht dreimal pro Woche Sport, Daniel nur einmal pro Monat. Stefan macht .... Sport, Daniel nur ....

d Meine Nachbarin fährt nur mit dem Auto oder Zug in Urlaub. Sie ist noch .... geflogen.

A3 **3** **Wie ist das bei Ihnen? Antworten Sie mit *immer – fast immer – meistens – oft – ...***

a Trinken Sie Tee zum Frühstück?
Fast nie, ich trinke meistens Kaffee. ....

b Essen Sie Brot zum Frühstück?
....

c Essen Sie am Vormittag etwas?
....

d Essen Sie zum Mittagessen etwas Warmes?
....

e Kochen Sie jeden Abend?
....

A3 **4** **Schreiben Sie und sprechen Sie.**

a Wählen Sie eine Person aus Ihrem Kurs. Überlegen Sie: Was macht sie/er wie oft?

spazieren gehen ● in die Disco gehen ● am Abend fernsehen ● schwimmen ●
Kleidung einkaufen gehen ● Deutsch lernen ● Sport machen ● spät ins Bett gehen ● ...

Ich glaube, Alfredo geht oft spazieren, er geht ... in die Disco, ...

b Zeigen Sie dieser Person Ihren Text.
Sie/Er soll sagen, was stimmt und was nicht. Wer hat seine Person am besten beschrieben?

5   **Was ist richtig? Markieren Sie.**

a   ▲ Magst du noch eine Nussschnecke?
    ● Nein danke, ich mag keine/keins mehr.

b   ▲ Haben wir denn überhaupt noch Brezeln?
    ● Warte, ich sehe mal nach. … Ja, wir haben noch eins/welche.

c   ▲ Magst du auch einen Apfel?
    ● Gern, gibst du mir bitte einen/eine?

d   ▲ Haben wir noch ein Brötchen?
    ● Nein, wir haben keins/keinen mehr.

e   ▲ Och. Haben wir denn kein Vollkornbrot?
    ● Doch ich habe einen/eins gekauft!

f   ▲ Haben wir noch eine Birne?
    ● Ja, soll ich dir einen/eine geben?

g   ▲ Immer kommst du zu spät. Hast du denn keine Uhr?
    ● Doch, natürlich habe ich eine/einen.

h   ▲ Soll ich noch einen Kuchen kaufen?
    ● Nein, ich habe doch eins/einen gebacken.

6   **Ergänzen Sie *ein-*, *kein-*, *welch-*.**

a   ▲ Ich brauche bitte eine Schüssel.   ● Hier ist doch .eine............. .

b   ▲ Haben wir eigentlich noch Nüsse?   ● Ja, hier sind ....

c   ▲ Gibst du mir bitte ein Brötchen?   ● Tut mir leid, hier ist .... mehr.

d   ▲ Gib mir bitte einen Löffel.   ● Dort liegt doch ....

e   ▲ Haben wir noch Eier?   ● Nein, im Kühlschrank sind .... mehr.

f   ▲ Ich brauche bitte ein Messer.   ● Schau, hier liegt doch ....

g   ▲ Gibst du mir bitte eine Zitrone?   ● Tut mir leid, aber hier ist ....

h   ▲ Ist noch ein Apfel da?   ● Nein, hier ist .... mehr.

7   **Hier ist *einer*! Ich brauche *keinen*.**

Ergänzen Sie die Formen aus den Übungen 5 und 6 in der Tabelle.

Nominativ	maskulin der (Löffel)	neutral das (Messer)	feminin die (Gabel)	Plural die (Tassen)
Hier ist … Hier sind …	einer			
Tut mir leid, hier ist … hier sind …	keiner			
Akkusativ	den	das	die	die
Ja, ich brauche …				
Nein danke, ich brauche …	keinen			keine

8 **Auf dem Ausflug. Markieren Sie die richtige Lösung.**

a ● Ich nehme mir noch einen Apfel. Du auch?
▲ Nein danke, ich mag jetzt ☐ keine ☐ keinen.
Vielleicht später.

b ▲ Ich nehme noch eine Brezel.
● Au ja, gib mir bitte auch ☐ eine ☐ ein.

c ▲ Haben wir noch Nussschnecken?
● Ja, hier ist noch ☐ eine ☐ eins. Willst du sie?
▲ Ja bitte.

d ▲ Gibst du mir bitte das Vollkornbrot?
● Tut mir leid, aber wir haben
☐ keins ☐ keinen mehr.

e ▲ Wo ist denn hier ein Messer?
● Dort liegt doch ☐ einen ☐ eins.

f ▲ Haben wir noch Bananen?
● Ja, in der Tasche sind noch
☐ welche ☐ keine.

9 **Ergänzen Sie.**

a Soll ich noch Äpfel kaufen?   Nein, es sind noch welch........ da.
b Soll ich noch eine Flasche Milch kaufen? Ja bitte, es ist kein........ mehr da.
c Soll ich noch ein Brot kaufen?   Nein, es ist noch ein........ da.
d Soll ich noch einen Kuchen kaufen?   Nein, es ist noch ein........ da.
e Soll ich noch Brezeln kaufen?   Nein, es sind noch welch........ da.

10 **Im Kursraum. Ergänzen Sie die Gespräche.**

a ● Ich brauche ein Wörterbuch Deutsch – Arabisch.
Hast du ....?
▲ Nein, aber frag doch mal Medhat.

b ● Kannst du mir einen Bleistift leihen?
▲ Tut mir leid, ich habe .... Aber dort auf
dem Tisch liegt doch .... Nimm doch den.

c ● Ich gehe in der Pause ein Käsebrötchen kaufen.
Magst du auch ....?
▲ Ja gern.

d ● Ich hab' Kopfschmerzen.
▲ Dann nehmen Sie doch eine Tablette.
● Ich habe aber ....
▲ Einen Moment. Ich habe sicher
.... in der Tasche.
Ja, hier, bitte sehr.

e ● Gibt es hier Kaffeetassen?
▲ Ja, dort im Schrank sind
....

11 **Welches Wort passt nicht? Markieren Sie.**

a Kühlschrank – Herd – Papierkorb – Mikrowelle
b Messer – Gabel – Spülmaschine – Esslöffel
c Teller – Becher – Tasse – Glas
d Topf – Kanne – Schüssel – Löffel

12 **Notieren Sie im Lerntagebuch.**

Machen Sie Lernkarten. Schreiben Sie alle Wörter mit „der ..." grün,
alle Wörter mit „das ..." blau und alle Wörter mit „die ..." rot.
Auf die Rückseite schreiben Sie die Wörter in Ihrer Sprache.

LERNTAGEBUCH

| die Spülmaschine, -n | dishwasher |
| Die Spülmaschine ist kaputt. | |

| das Messer, - | ... |
| ... | |

········▶ Portfolio

13 Im Café

Konditorei – Café Gerhard Fischer

Frühstück

Kleines Frühstück
1 Tasse Kaffee oder Tee, 1 Brötchen,
Butter, Marmelade   3.30

Großes Frühstück
1 Kännchen Kaffee oder Tee, 2 Brötchen,
Butter, Marmelade, Wurst und Käse,
1 weich gekochtes Ei   6.50

Extras
1 weich gekochtes Ei   0.60
1 Portion Butter   0.50
1 Portion Wurst oder Käse   1.80
1 Brezel mit Butter   1.20

Kuchen und Torten
Nusskuchen   2.30
Käsekuchen   2.30
Sachertorte   2.50
Schwarzwälder Kirschtorte   2.80
Portion Sahne   0.60

Heiße Getränke
Tasse Kaffee   1.90
Kännchen Kaffee   3.80
Espresso   1.90
Milchkaffee   3.30
Cappuccino mit Sahne   2.20
Cappuccino mit Milch   2.20
Tasse heiße Schokolade mit Sahne   2.20
Glas Irish Coffee   4.10
Glas Tee   1.80
Kännchen Tee   3.10

Alkoholfreie Getränke
Coca-Cola 0,20 l   1.80
Fanta 0,20l   1.8
Mineralwasser 0,25l   1
Apfelsaft 0,20l
Orangensaft 0,20l

Biere
Löwenbräu Pil

a Was haben die Personen an den drei Tischen bestellt? Notieren Sie.

1   2   3

Großes Frühstück..........................   ....

....

b Wer spricht? Hören Sie und kreuzen Sie an.

Die Personen von

☐ Tisch 1   ☐ Tisch 2   ☐ Tisch 3

14 Ordnen Sie die Gespräche.

a bestellen

☐ Einen Apfelsaft, bitte.
☐ Gern. Was möchten Sie trinken?
☐ Ich nehme den Braten.
☑ Ich möchte bestellen, bitte.
☐ Und was möchten Sie essen?

b bezahlen

☐ Zusammen oder getrennt?
☐ Das macht 13,60 €.
☐ Wir möchten bitte zahlen.
☐ Stimmt so.
☐ Zusammen.

c reklamieren

☐ Ja bitte?
☐ Oh, das tut mir leid.
Ich bringe Ihnen sofort
den Milchkaffee.
☐ Entschuldigung!
☐ Ich habe einen Milchkaffee
bestellt und keinen Espresso.

C2 | **15** | **Ergänzen Sie.**

Oh, das tut mir leid! • Können wir bitte bezahlen? • Zusammen oder getrennt? •
Nein, da ist nur Gemüse drin. • Was möchten Sie trinken? • Kann ich bitte bestellen? • Stimmt so.

a ● ....

▼ Ja gern. ....

● Einen Orangensaft bitte.

b ◆ ....

■ Ich komme sofort. – ....

◆ Zusammen.

■ Das macht 38,60 Euro, bitte.

◆ 40 Euro bitte. ....

■ Vielen Dank und einen schönen Abend noch.

c ▲ Entschuldigen Sie bitte, ist in der Suppe Schweinefleisch?

● ....

d ■ Entschuldigung, aber mein Kaffee ist fast kalt.

● .... Ich bringe Ihnen sofort einen neuen.

C2 Phonetik **16** **Hören Sie und sprechen Sie nach. Achten Sie auf den *s*-Laut.**
CD3 11

das Glas • das Messer • der Reis • das Eis • der Bus • die Straße •
der Salat • das Gemüse • der Käse • am Sonntag • die Pause • der Besuch • die Bluse

C2 Phonetik **17** **Sie hören jeweils zwei Wörter. Wo hören Sie den gleichen *s*-Laut? Kreuzen Sie an.**
CD3 12

a ☒ **b** ☐ **c** ☐ **d** ☐ **e** ☐ **f** ☐ **g** ☐ **h** ☐ **i** ☐

C2 Phonetik **18** **Hören Sie und sprechen Sie nach.**
CD3 13

Ich sitze im Sessel und sehe fern. • Das Gemüse sieht gut aus. •
Meistens trinke ich morgens ein Glas Orangensaft. •
Eine Tasse heiße Schokolade mit Sahne, bitte. •
Seid ein bisschen leiser. • Der Satz ist auf Seite sieben.

C2 Phonetik **19** **Hören Sie und ergänzen Sie *s – ss – ß*.**
CD3 14

a Mein Freund hei...t Klaus. Er i...t gro... und i...t mei...tens sehr viel.
Deshalb ist er auch ein bi...chen dick. Er macht auch ...elten Sport.
Fu...ball im Fern...ehen findet er be...er.

b Du trinkst ja nur Mineralwa...er und i...t nur Brot. Was i...t denn pa...iert?

c Rei...en ist mein Hobby. Das macht mir Spa... . Ich habe schon drei...ig
Städte be...ucht.

d Hallo Susanne. Du mu...t schnell nach Hau...e kommen, ich habe schon
wieder meinen Schlü...el verge...en.

20 **Was passt zu „Imbiss"? Markieren Sie.**

im Stehen essen • elegant • schnell • Bratwurst • Cola • teuer • Plastikgeschirr • billig • mit den
Händen essen • gesundes Essen • am Tisch sitzen • Döner Kebab • Restaurant • Pommes frites

21 **Was passt? Kreuzen Sie an.**

	scharf	sauer	süß	fett	salzig
a Chili	×				
b Schweinebraten					
c Kuchen					
d Zitrone					
e Wurst					
f Eis					
g Essig					
h Pommes frites					
i Schokolade					
j Sauerkraut					

Projekt **22** **Imbissbuden**

a **Notieren Sie und erzählen Sie.**
Suchen Sie Imbissbuden in Ihrer Stadt. Was gibt es dort zu essen und zu trinken?
Sie kennen ein Essen nicht? Dann fragen Sie die Verkäufer!

Bockwurst
mit Kartoffelsalat   € 2,50

Currywurst   € 3,50
mit Pommes

Käse- oder
Schinkenbrötchen   € 2,50

Fränkische
Bratwurst   € 2,50
mit Sauerkraut

Cola, Fanta,   € 1,–
Mineralwasser

Bei uns in der Stadt
gibt es eine Imbissbude.
Dort gibt es ...

b **Arbeiten Sie in Kleingruppen. Schreiben Sie eine Speisekarte
für eine Imbissbude in Deutschland, Österreich oder in der Schweiz.**

Bennos Imbiss

1 Paar Bratwürste mit Brot   2,50 €

Bei Rytz

Cervalat mit Brot	Fr. 4,–
Fisch-Knusperli (Egli)	
pro Stück	Fr. 1.50
Poulet-Spiessli	Fr. 3.50

E5

23 **Was passt? Ordnen Sie zu.**

Setzen Sie sich doch! ● Kommen Sie gut nach Hause. ● ~~Bleiben Sie doch noch ein bisschen.~~ ●
Möchten Sie noch einen Kuchen? ● Ich muss leider wirklich nach Hause. ● Der Kuchen ist
wirklich lecker. ● ~~Kommen Sie bitte rein!~~ ● ~~Kaffee oder Tee?~~ ● Und vielen Dank für die Einladung. ●
Können Sie mir das Rezept geben?

Kommen Sie bitte rein!   *Kaffee oder Tee?*   *Bleiben Sie doch noch ein bisschen.*

E5

24 **Was kann man auch sagen? Kreuzen Sie an.**

a **Wir müssen wirklich gehen.**
  ☐ Wir wollen gerne gehen.
  ☐ Wir können jetzt gehen.
  ☒ Wir können leider nicht mehr bleiben.

b **Der Kuchen ist wirklich lecker!**
  ☐ Der Kuchen schmeckt mir!
  ☐ Der Kuchen gefällt mir!
  ☐ Der Kuchen schmeckt gar nicht.

c **Setzt euch doch bitte!**
  ☐ Sitzen Sie bitte gerade!
  ☐ Nehmt doch bitte Platz!
  ☐ Ist hier noch frei?

d **Vielen Dank für die Einladung!**
  ☐ Das ist aber nett von Ihnen.
  ☐ Ich danke Ihnen für die Einladung.
  ☐ Nein danke, ich kann nicht mehr.

E5

25 **Wie können Sie reagieren? Schreiben Sie.**

Ja, gern. Sie schmeckt wirklich lecker. ● Ach, bleibt doch noch ein bisschen. ●
Ach schade, aber wir fahren am Wochenende nach Berlin. ● Oh! Herzlichen Dank. ●
~~Vielen Dank, wir kommen gern.~~ ● Schon? Schade. Dann kommt mal gut nach Hause. ●
Aber ich habe leider keinen Hunger mehr. ● Vielen Dank, das ist sehr nett von Ihnen.

a ▲ Wir möchten Sie und Ihren Mann gern am Samstag zum Abendessen einladen.

● *Vielen Dank, wir kommen gern* ....   ● ....
                                               ....

b   ▲ Das ist für Sie.

● ....   ● ....
   ● ....

c   ▲ Möchten Sie noch etwas von der Nachspeise?

● ....   ● Die Nachspeise ist wirklich sehr gut.
   ● ....

d   ▲ Jetzt müssen wir aber wirklich gehen.

● ....   ● ....
   ● ....

26 Ein Abendessen bei Klaus

a Sehen Sie die Bilder an. Wie war das Abendessen? Lesen Sie die E-Mail: Was schreibt Paula? Ordnen Sie die Bilder den Sätzen zu.

Lieber Klaus,

herzlichen Dank für den netten Abend gestern. Die Einladung bei Dir war wirklich toll.

Deine Freunde sind sehr sympathisch und lustig! (a)

Besonders nett finde ich Axel. Er ist so lustig. (b)

Und das Essen! Einfach super! (c) Du musst mir unbedingt das Rezept für den Schweinebraten geben!

Und der Wein war wie immer auch lecker. (d)

Leider bin ich schon so früh gegangen. Aber Du weißt ja: Ich habe zurzeit so viel Arbeit! (e)

Ich hoffe, wir sehen uns bald wieder.

Viele Grüße

Paula

b Wie war das Abendessen bei Klaus wirklich? Was schreibt Paula ihrer Freundin? Sehen Sie die Bilder in a noch einmal an und schreiben Sie Paulas E-Mail.

Klaus wie immer schlecht kochen ● Wein auch nicht schmecken ● Freunde von Klaus alle langweilig sein ● nur Axel die ganze Zeit mit mir sprechen ● aber auch furchtbar langweilig sein ● früh gehen und lieber andere Freunde treffen ● bis zwei Uhr morgens viel Spaß haben

Hallo Eva,

gestern hat mich Klaus zum Essen eingeladen! Na ja, der Abend war nicht so toll!
Wie immer hat Klaus schlecht gekocht.
. . .
. . .

Und so war der Abend doch noch gut!
Bis bald!
Paula

P.S. Wie wäre es mit einer Einladung zum Essen? ;-)

Essen

Bohne die, -n	....	Stück das, -e	....
Braten der, -	....	Süßigkeit die, -en	....
Essig der	....	Trinkgeld das, -er	....
Gebäck das			
Hähnchen das, -	....	her·stellen, hat hergestellt	....
Hamburger der, -	....	probieren, hat probiert	....
Honig der			
Marmelade die, -n	....	fett	....
Pommes (frites) (Pl.)	....	frisch	....
Schnitzel das, -	....	gebraten	....
		geschnitten	....
Diät die, -en	....	(un)gesund	....
Gericht das, -e	....	hart	....
Mahlzeit die, -n	....	salzig	....
Portion die, -en	....	sauer	....
Nachspeise die, -n (= Nachtisch der, -e)	....	scharf	....
		süß	....
Speise die, -n	....		

Geschirr

Gabel die, -n	....	Pfanne die, -n	....
Esslöffel der, -	....	Schüssel die, -n	....
Kännchen das, -	....	Tasse die, -en	....
Kanne die, -n	....	Teelöffel der, -	....
Löffel der, -	....	Teller der, -	....
Messer das, -	....	Topf der, ¨e	....

Weitere wichtige Wörter

Art die, -en ....

Creme die, -s ....

Ergebnis das, -se ....

Pause die, -n ....

Sänger der, - ....

Sendung die, -en ....

Spieler der, - ....

Spülmaschine die, -n ....

Tabelle die, -n ....

aus·suchen,
   hat ausgesucht ....

beschäftigen (sich),
   hat beschäftigt ....

dabei sein, ist dabei,
   ist dabei gewesen ....

klingen,
   hat geklungen ....

nach·fragen,
   hat nachgefragt ....

Platz nehmen,
   nimmt Platz,
   hat Platz
   genommen ....

präsentieren,
   hat präsentiert ....

setzen (sich), setzt sich,
   hat sich gesetzt ....

testen, hat getestet

verabschieden (sich),
   hat verabschiedet ....

verteilen, hat verteilt

wecken, hat geweckt ....

zusammen·zählen,
   hat zusammengezählt ....

beliebt ....

berühmt ....

gefährlich ....

höflich ....

traditionell ....

typisch ....

vernünftig ....

voll ....

wach ....

weich ....

wunderbar ....

wunderschön ....

außerdem ....

genauso ....

nie ....

nirgends ....

nirgendwo ....

selten ....

sogar ....

unterschiedlich ....

zu dritt ....

4 A
Lektion 4: Arbeitswelt
Wenn ich nachts Taxi fahren muss,
dann bin ich tagsüber eben müde.

A1

1 **Wer sagt was? Ordnen Sie zu.**

Ihr Auto ist kaputt. Wie fahren Sie in die Arbeit?

1 **2** **3**

Bild

a Wenn es schneit, dann nehme ich die U-Bahn. ☐
b Wenn die Sonne scheint, fahre ich mit dem Fahrrad. ☐
c Wenn es regnet, dann nehme ich den Bus. ☐

A2

2 **Ergänzen Sie.**

a Mein Auto ist kaputt. Ich gehe zu Fuß.

Wenn mein Auto kaputt ..*ist*.........., ...*gehe*................. ich zu Fuß.

b Das Wetter ist schön. Ich fahre mit dem Fahrrad.

Wenn das Wetter schön ...., dann .... ich mit dem Fahrrad.

c Ich habe keine Zeit. Ich nehme die U-Bahn.

Wenn ich keine Zeit ...., ... ich die U-Bahn.

d Ich fahre mit dem Auto. Ich brauche zehn Minuten bis zum Büro.

Wenn ich mit dem Auto ...., dann .... ich zehn Minuten bis zum Büro.

A2
Grammatik
entdecken

3 **Tragen Sie die Sätze aus Übung 2 in die Tabelle ein.**

a Wenn	*mein Auto kaputt*	*ist,*	*gehe*	*ich zu Fuß.*
b Wenn		..........., *dann*		
c Wenn		...........,		
d Wenn		..........., *dann*		

A2

4 **Schreiben Sie Sätze mit *wenn*.**

a Es ist heiß. ➔ Ich arbeite nicht so gern.
Wenn es heiß ist, arbeite ich nicht so gern. .

b Ich komme spät nach Hause. ➔ Ich bin müde.
Wenn ....

c Ich habe nette Kollegen. ➔ Die Arbeit macht mir Spaß.
Wenn ....

d Ein Kollege ist krank. ➔ Ich muss seine Arbeit machen.
Wenn ....

e Ich kann Kunden helfen. ➔ Ich bin zufrieden.
Wenn ....

A3

5 **Probleme im Büro. Sagen Sie es anders. Schreiben Sie Sätze mit *wenn*.**

a Sie brauchen Hilfe am Computer? Fragen Sie Frau Ziegler.
Fragen Sie Frau Ziegler, wenn Sie Hilfe am Computer brauchen. .

b Sie brauchen Material? Fragen Sie Ihre Kollegen.
Fragen ....

c Im Büro ist etwas kaputt? Sprechen Sie bitte mit dem Hausmeister.

.Sprechen... .

d Sie kommen morgens einmal später? Rufen Sie bitte an.

.Rufen... .

e Sie brauchen einen neuen Arbeitsanzug? Gehen Sie zu Frau Baumann.

.Gehen.. .

6 Fragen an die Chefin. Antworten Sie.

a ● Kann ich heute schon um 16 Uhr nach Hause gehen?

■ Ja, wenn .... (sein – Ihre Arbeit – fertig)

b ● Kann ich am Montag einen Tag freinehmen?

■ Ja, wenn .... (da – sein – Frau Volb)

c ● Kann ich auch manchmal einen Tag zu Hause arbeiten?

■ Ja, wenn .... (können – wir – immer – Sie – anrufen)

d ● Ich muss morgen um 11 Uhr zum Arzt. Geht das?

■ Ja natürlich, wenn .... (möglich – kein anderer Termin – sein)

7 Ergänzen Sie die Sätze.

a Ich rufe meine Freundin an, wenn ...
b Ich bin traurig, wenn ...
c Ich spiele Computerspiele, wenn ...
d Ich mache Sport, wenn ...
e Ich kaufe Blumen, wenn ...
f Ich bin sauer, wenn ...

8 Ergänzen Sie.

Teilzeit ● Frist ● Finanzamt ● Überstunden ● Personalbüro ● tagsüber

a Wenn Sie so viele .Überstunden............... haben, dann nehmen Sie doch einen Tag frei.
b Wenn ich nicht .... Taxi fahren kann, dann muss ich leider nachts fahren.
c Wenn ich ein Baby habe, arbeite ich nur noch .... und nicht mehr Vollzeit wie jetzt.
d Wenn Sie krank sind, rufen Sie bitte im .... an.
e Wenn Sie die Steuererklärung gemacht haben, schicken Sie sie an das ....
f Wenn Ihre Steuererklärung nicht bis zum 31.09. fertig ist, müssen Sie beim Finanzamt anrufen und die .... verlängern.

9 Ergänzen Sie im Lerntagebuch. LERNTAGEBUCH

Ich lerne Deutsch. Ich lebe in Deutschland.
*Ich lerne Deutsch, **weil** ich in Deutschland lebe.*

Kurt ist zu Hause. Susanne arbeitet am Nachmittag.
*Kurt ist zu Hause, **wenn** Susanne am Nachmittag arbeitet.*
⚠ ***Wenn** Susanne am Nachmittag arbeitet, ist Kurt zu Hause.*

Ich fahre mit dem Fahrrad. Die Sonne scheint.
*Ich fahre mit dem Fahrrad, **wenn** ....* .
⚠ ***Wenn** ...., ... ich mit dem Fahrrad.*

┈┈┈▶ Portfolio

B1 **10** **Tipps für Berufsanfänger. Was passt? Ordnen Sie zu.**

Sie sollten nicht am Schreibtisch essen! • Sie sollten die Füße nicht auf den Schreibtisch legen! •
Sie sollten im Büro nicht privat telefonieren! • Sie sollten Ihre Tassen immer selbst spülen!

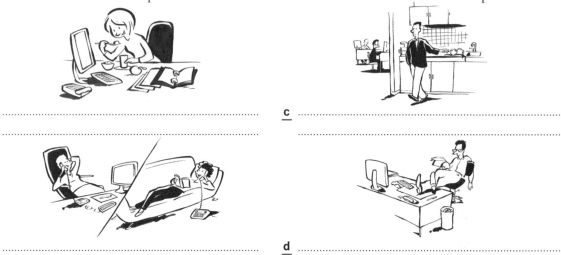

a .... **c** ....

b .... **d** ....

B2 **11** **Welcher Ratschlag passt zu welcher Person? Ergänzen Sie *sollt-* und ordnen Sie zu.**

Bild

a Sie .*sollten*.......... nicht so viel Fleisch und Eier essen. ☒2☒

b Du .... lieber diesen Rock anziehen. ☐

c Sie .... nicht so viel rauchen. ☐

d Du .... vielleicht mal zu einem anderen Friseur gehen. ☐

e Ihr .... am Anfang langsam laufen. ☐

f Sie .... unbedingt wenig Salz essen. ☐

g Du .... besser nicht diese Schuhe zu dem Rock anziehen. ☐

h Ihr .... beim Sport immer genug trinken. ☐

B3 **12** **Im Büro. Was ist richtig? Markieren Sie.**

a ▲ Haben wir kein Glas mehr?
  ● Nein, die sind alle in der Spülmaschine. Aber du kannst meine/meins haben. Es ist noch sauber.

b ● Kann ich hier mal kurz an einen Computer?
  ▲ Ja natürlich. Frau Zwinger ist heute nicht da. Sie können ihren/ihre benutzen.

c ▼ Ich habe leider mein Handy vergessen. Kann ich mal kurz Ihren/Ihrs benutzen?
  ■ Ja gern.

d ◆ Ich habe meine Stifte vergessen. Kann ich kurz deine/deinen haben?
  ■ Klar!

13 **Ergänzen Sie.**

a ◆ Oh je – mein Kugelschreiber! Kann ich kurz .*deinen*............... haben?
   Meiner schreibt nicht mehr.
   ▲ Hier, bitte.

b ■ Ich habe kein Fahrrad! – Leihst du mir .... ?
   ▼ Tut mir leid, meins ist mal wieder kaputt.

c ◆ Wo sind denn deine Stifte? Warum hast du .... nicht dabei?
   ▼ Klar habe ich meine Stifte dabei! Das hier sind meine.

d ■ Entschuldigen Sie, die Tasse da, das ist meine.
   ▲ Das ist Ihre Tasse? Aber wer hat denn dann .... genommen?

14 **Lesen Sie Übung 13 noch einmal und unterstreichen Sie die Formen von *mein-*.**
Ergänzen Sie dann die Tabelle.

	der Kugelschreiber	das Fahrrad	die Tasse	die Stifte
Das ist/sind				!
Hast du	*meinen*	*meins*		*meine* ?

15 **Wem gehört was? Ergänzen Sie.**

a ▲ Hier liegt eine Brille. Ist das d.*eine*.........?
   ● Ja danke, das ist m............... .

b ◆ Sind die Zigaretten hier von Franz?
   ▼ Ja, ich glaube, das sind s............... .

c ◆ Und das Feuerzeug hier? Ist das auch
   von Franz?
   ▼ Ja, das ist wahrscheinlich auch s............... .

d ● Wem gehört denn der blaue Pullover hier?
   Ist das I............... ?
   ■ Nein, das ist bestimmt nicht m............... .

e ▲ Wem gehören denn die zwei Fahrräder hier?
   Sind das e............... ?
   ▼ Nein, das sind nicht u............... . Ich glaube,
   die sind von Britta und Ina.

16 **Was sagen die Leute? Ergänzen Sie.**

a ● Gib her! Das ist *meins*. .
   ■ Das ist nicht ....
   Das ist Julians.

b ▲ Ist das .... ?
   ◆ Nein, das ist nicht ....
   Ich habe .... hier.

c ● Ich habe mein Feuerzeug
   vergessen.
   Kann ich .... nehmen?
   ▼ Klar.

C1

17 **Ergänzen Sie *schon* oder *noch nicht*.**

a ● Guten Morgen, Nadja. Sag mal, ist Herr Steiner *schon* da?

■ Nein, der ist .... da. Du weißt doch, er kommt immer erst nach 9 Uhr!

b ▲ Hast du deine Hausaufgaben .... gemacht?

■ Nein, ..., aber ich mache sie heute Abend. Jetzt gehe ich mit
Fritz Fußball spielen.

▲ Nein, nein, das geht nicht. Wenn du deine Hausaufgaben .... gemacht hast,
darfst du auch nicht rausgehen! Das weißt du doch!

C3
CD3 15

18 **Ergänzen Sie *jemand – niemand – etwas – nichts*. Hören Sie dann und vergleichen Sie.**

a ▲ Vor fünf Minuten hat *jemand* für dich angerufen. Ein Herr Peterson oder
so ähnlich war sein Name.

● Wie bitte? Peterson? Ich kenne .... mit dem Namen Peterson.

b ◆ Ich habe uns .... zu essen mitgebracht.

▼ Vielen Dank, das ist sehr nett. Aber ich möchte jetzt .... Ich habe gerade
.... gegessen.

c ◆ Was hat er gesagt? Hast du .... verstanden?

▼ Nein, tut mir leid, ich habe auch .... verstanden.

d

▲ Hallo, ist da .... ?

● Komm, wir gehen rein, ich glaube hier ist ....

C3

19 **Ein Telefongespräch.**

a Wer sagt das? Die Sekretärin (S) oder der Anrufer (A)?

A Guten Tag, hier spricht Grahl. Könnten Sie mich bitte mit Frau Pauli verbinden?

☐ Nein, danke. Ist denn sonst noch jemand aus der Abteilung da?

☐ Ja, gerne, das ist die 301. Also 9602-301.

☐ Tut mir leid, Frau Pauli ist gerade nicht am Platz. Kann ich ihr etwas ausrichten?

☐ Auf Wiederhören.

S Firma Hens und Partner, Maurer, guten Tag.

☐ Nein, es ist gerade Mittagspause. Da ist im Moment niemand da.

☐ Gut, dann versuche ich es später noch einmal. Könnten Sie mir noch
die Durchwahl von Frau Pauli geben?

☐ Vielen Dank. Auf Wiederhören!

CD3 16

b Ordnen Sie das Gespräch. Hören Sie dann und vergleichen Sie.

S Firma Hens und Partner, Maurer, guten Tag.
A Guten Tag, hier spricht ...

c Schreiben Sie ein Telefongespräch.

ausrichten • Durchwahl • verbinden • Mein Name • Vielen Dank • zurückrufen

● *Firma Kaiser, Hauck, guten Tag.*

▲ ...

reibtraining

20 Frau Breiter hat angerufen! Schreiben Sie Notizen.

a später in Arbeit kommen •
Anruf von Frau Breiter •
Arzttermin haben

> Lieber Herr Bauer,
> *Frau Breiter hat angerufen*
> *sie kommt*
> ....

c Herr Hein aus Exportabteilung anrufen •
Termin am 21.9. leider nicht möglich sein •
bitte zurückrufen

> Liebe Frau Schön,
> ....
> ....

b neue Stifte und Papier bestellen •
die Rechnung an Frau Pax schicken

> Sehr geehrte Frau Sporer,
> ....
> ....

d etwas unternehmen? •
Zeit nach der Arbeit? • ins Kino gehen?

> Liebe Susanne,
> ....
> ....

Phonetik
3 17

21 Hören Sie und markieren Sie die Betonung ∕.

a ▼ Guten Mórgen. Ist Herr Stéiner schon da?
● Nein, tut mir leid. Herr Steiner kommt erst um neun.

b ▼ Guten Morgen, Nádja. Ist Herr Steiner schon dá?
● Nein, er ist noch nicht da. Du weißt doch, er kommt immer erst nach neun.

c ◆ Es hat jemand für dich angerufen. Ein Herr Peterson oder so ähnlich.
▼ Peterson? Ich kenne niemand mit dem Namen.

Sprechen Sie.

Phonetik
3 18

22 Hören Sie und sprechen Sie nach. Achten Sie auf den *ch*-Laut.

a ich – auch • dich – doch • nicht – noch • die Bücher – das Buch •
das Gespräch – die Sprache • die Rechnung – die Nachricht •
ich möchte – ich mache • ich besichtige – ich besuche • täglich – nachmittags

b Kommst du pünktlich? • Ich komme um acht. • Lies doch ein Buch! •
Ruf mich doch mal an. • Geh doch bitte noch nicht! •
Vorsicht, die Milch kocht! • Mach doch Licht! •
Ich möchte bitte gleich die Rechnung. • Ich möchte Frau Koch sprechen.

c ▼ Kannst du Jochen etwas ausrichten?
● Aber sicher, ich sehe ihn gleich nach dem Kurs.

Phonetik

23 Wo spricht man *ch* wie in *ich*, wo wie in *auch*? Tragen Sie die Wörter aus Übung 22 ein.

ich: *dich,* ....

auch: *doch,* ....

D2

24   **Was passt zu „Lohn", was zu „Firma", was zu „Arbeitszeit"? Ordnen Sie.**

die Vollzeit • die Abteilung • die Lohnsteuerkarte • stundenweise arbeiten • die Kantine •
die Schicht • das Unternehmen • die Teilzeit • die Steuer • das Lager • die Fabrik • die/der
Angestellte • die Aushilfe • die Überstunde • das Personalbüro • der Chef • der Betrieb •
der Betriebsrat

Lohn	**Firma**	**Arbeitszeit**
. . .	*die Abteilung*	*die Vollzeit*
. . .	. . .	. . .

D2

25   **Der Arbeitsalltag einer Familie. Was ist richtig? Markieren Sie.**

a   Der Vater arbeitet in einem Büro / einer Fabrik. Eine Woche
arbeitet er von 6 bis 14 Uhr, die nächste Woche von 14 bis 22 Uhr
und dann von 22 bis 6 Uhr morgens. Er arbeitet Schicht / Teilzeit.

b   Die Mutter arbeitet in der gleichen Firma in der Kantine /
einem Restaurant. Ihre Arbeitszeiten sind Montag bis Freitag
von 10 bis 14 Uhr. Sie arbeitet Teilzeit / Vollzeit.

c   Der Sohn hat als Bauarbeiter gearbeitet. Aber in seiner Firma hat
es viele Entlassungen gegeben. Auch er hat eine Kündigung /
Bewerbung bekommen und seine Stelle verloren.
Jetzt arbeitet er nur manchmal ein paar Tage als Angestellter /
Aushilfe im Lager / in der Abteilung von einer großen Firma.

d   Die Tochter arbeitet samstags ein paar Stunden für einen
Supermarkt. Sie steckt die Prospekte mit den Sonderangeboten
in die Briefkästen. Sie arbeitet Schicht / stundenweise.

D2

26   **Ergänzen Sie.**

Fabrik • Betriebsrat • ~~Angestellter~~ • Rente • Schicht • Entlassungen

Als *Angestellter* arbeitet man in einer Firma und bekommt jeden Monat ein festes Gehalt.

Viele Angestellte arbeiten in einem Büro und haben feste Arbeitszeiten. Arbeiter arbeiten

meistens in einer .... oder in einem Lager. In vielen Betrieben arbeiten sie

............................, das heißt, die Mitarbeiter arbeiten von 6 bis 14 Uhr, von 14 bis 20 Uhr

oder von 20 bis 6 Uhr.

Betriebe mit mehr als fünf Mitarbeitern haben einen .... Dieser ist für die

Angestellten und Arbeiter da und spricht mit dem Firmenchef zum Beispiel über die Arbeitszeiten

oder wenn es Probleme mit .... gibt. Große Berufsgruppen sind in einer

Gewerkschaft organisiert.

Mit etwa 65 Jahren hört man mit der Arbeit auf und geht in ....

D2
CD3 Prüfung 19

27   **Hören Sie die Ansagen und ergänzen Sie.**

Sie hören drei Ansagen am Telefon. Zu jedem Text gibt es eine Aufgabe. Ergänzen Sie die
Telefonnotizen. Sie hören jeden Text zweimal.

1 *Firma*
Rückruf
bis wann? ....

2 *Gewerkschaft*
Büro geöffnet
Uhrzeit? ....

3 *Personalbüro*
Lohnsteuerkarte wann
abgegeben? ....

28 **Lesen Sie den Arbeitsvertrag. Richtig oder falsch? Kreuzen Sie an.**

	richtig	falsch
a Frau Wulaki hat vier Monate Arbeit als Aushilfe.	☐	☐
b Sie arbeitet zweimal in der Woche.	☐	☐
c Frau Wulaki bekommt einmal im Monat ihren Lohn.	☐	☐
d Frau Wulaki und die Firma Henri & Schwarz können den Vertrag in den ersten 2 Wochen kündigen.	☐	☐

Arbeitsvertrag

1. Vertragspartner

	Arbeitgeber:	Arbeitnehmer:
Name:	Firma Henri & Schwarz	*Adjana Wulaki*
Straße, Hausnr.:	Neuheimerstr.28	*Eggerstedtstr.52*
PLZ, Ort:	22765 Hamburg	*22705 Hamburg*

Geb.-Datum/Ort: *15.4.1986 Hamburg*

Familienstand: ☒ ledig ☐ verheiratet

2. Art und Dauer der Tätigkeit

Der Arbeitnehmer wird vom .....*1.2.20*......... bis ......*31.5.20*...... eingestellt als ...*Aushilfe*....... .

Es handelt sich um eine kurzfristige Tätigkeit, d.h. dass der Arbeitnehmer nach Ablauf dieser festgelegten Zeit nicht regelmäßig wiederkehrend beschäftigt wird.

3. Arbeitszeit und Vergütung

Die Arbeitszeit beträgt .....*2*...... Stunden ☒ am Tag (Mo-Fr) ☐ in der Woche ☐ im Monat.

Die Vergütung beträgt brutto EUR ..*10,80*.... ☒ in der Stunde ☐ am Tag ☐ in der Woche ☐ im Monat.

Die Bezahlung erfolgt am Ende ☐ jeden Tages ☐ jeder Woche ☒ jeden Monats.

4. Sozialversicherung/Besteuerung
Kurzfristige Beschäftigungen: Arbeitnehmer brauchen unabhängig vom Entgelt

8. Probezeit/Kündigung

Die ersten .....*2*.......Wochen/~~Monate~~ gelten als Probezeit.
Während der Probezeit kann das Vertragsverhältnis jederzeit zum Ende des laufenden Monats vom Arbeitgeber und Arbeitnehmer gekündigt werden.

9. Schlussbestimmung
Der Arbeitnehmer versichert, dass alle Angaben der Wahrheit entsprechen. Wissentlich falsche Angaben berechtigen den Arbeitgeber zur fristlosen Kündigung des Vertrags.

....
Ort, Datum   Unterschrift Arbeitgeber   Unterschrift Arbeitnehmer

29 **Jobsuche: Wo können Sie an Ihrem Kursort eine Arbeit finden? Sammeln Sie Informationen.**

■ In welchen Zeitungen und an welchen Wochentagen gibt es Stellenanzeigen?

■ Gehen Sie zur nächsten Agentur für Arbeit. Wie finden Sie dort Stellenangebote?

■ Wo kann man noch Arbeit finden?

4 Lernwortschatz

Steuern und Finanzen

Finanzamt das, ¨er ....

Frist die, -en ....

Lohnsteuer die ....

Lohnsteuerkarte
die, -n ....

Steuer die, -n ....

Steuerberater der, - ....

Steuererklärung
die, -en ....

(die Frist) verlängern,
hat verlängert ....

Arbeitszeiten und Urlaub

Schicht die, -en ....

Teilzeit die ....

Überstunde die, -n ....

Vollzeit die ....

stundenweise arbeiten ....

Teilzeit/Vollzeit/
Schicht arbeiten ....

Überstunden haben/
machen ....

Arbeitssuche

Beratung die, -en ....

Bewerbung die, -en ....

Zeitarbeit die ....

Zeitarbeitsfirma die,
Zeitarbeitsfirmen ....

eine Arbeit/eine Stelle/
einen Job suchen ....

Im Betrieb / In der Firma

Arbeitsanzug der, ¨e ....

Arbeitnehmer der, - ....

Aushilfe die, -n ....

Betrieb der, -e ....

Betriebsrat der, ¨e ....

Durchwahl die, -en ....

Entlassung die, -en ....

Export der, -e ....

Exportabteilung
die, -en ....

Fabrik die, -en ....

Gewerkschaft
die, -en ....

Import der, -e ....

Kantine die, -n ....

Kündigung die, -en ....

Lager das, - ....

Lohn der, ¨e ....

Material das, -ien ....

Rente die, -n ....

in Rente gehen ....

Rentner der, -

Schutz der ....

Sicherheit die, -en ....

Tarif der, -e ....

Werkzeug das, -e ....

Wirtschaft die ....

aus·richten,
   hat ausgerichtet ....

entschuldigen (sich),
   hat entschuldigt ....

fehlen, hat gefehlt ....

stören, hat gestört ....

verbinden,
   hat verbunden ....

außer Haus sein ....

außerhalb ....

Weitere wichtige Wörter

Ahnung die, -en ....

keine Ahnung haben ....

Ärger der ....

Erinnerung die, -en ....

Feuerzeug das, -e ....

Haushalt der, -e ....

Institut das, -e ....

Lust (auf) die ....

Tour die, -en ....

Weltmeister der, - ....

acht·geben,
   gibt acht,
   hat acht gegeben ....

achten (auf),
   hat geachtet ....

beachten,
   hat beachtet ....

folgen, ist gefolgt ....

halten (sich), hält,
   hat gehalten ....

kaputt·machen,
   hat kaputtgemacht ....

schneiden,
   hat geschnitten ....

streiten,
   hat gestritten ....

versprechen, verspricht,
   hat versprochen ....

wenden, hat gewendet ....

betrunken ....

normal ....

offen ....

praktisch ....

ähnlich ....

außer ....

durchschnittlich ....

eben ....

einig- ....

insgesamt ....

jemand ....

niemand ....

regelmäßig ....

rund (rund 40) ....

wenn ....

zumindest ....

A1

1 **Ergänzen Sie.**

sich • mich • uns • euch • ~~dich~~ • mich • sich • sich

a ● So geht das nicht! Du konzentrierst *dich* nicht.
    ■ Aber ich konzentriere .... doch.

b ▲ So geht das nicht! Ihr konzentriert .... nicht.
    ◆ Aber wir konzentrieren .... doch.

c ▼ So geht das nicht! Sie konzentrieren .... nicht.
    ▲ Aber ich konzentriere .... doch.

d ■ So geht das nicht! Er konzentriert .... nicht.
    ● Aber er konzentriert .... doch.

A1

2 **Ergänzen Sie die Tabelle.**

ich	konzentriere	*mich*	wir	konzentrieren	....
du	konzentrierst	....	ihr	konzentriert	....
er/es/sie	konzentriert	....	sie/Sie	konzentrieren	....

A4

3 **Was passt? Ordnen Sie zu.**

~~Er zieht die Kinder an.~~ • Sie ärgert ihren Bruder. • Sie kämmt sich. •
Er zieht sich aus. • Er wäscht sich. • Sie kämmt ihre Tochter. • Sie ärgert sich. •
~~Er zieht sich an.~~ • Er wäscht das Baby. • Er zieht das Baby aus.

A

B

Er zieht die Kinder an. ....

Er zieht sich an. ....

C

D

....

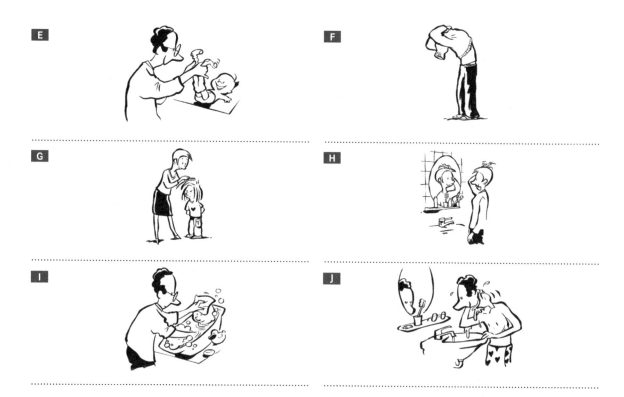

---

4 Notieren Sie die Sätze aus Übung 3 im Lerntagebuch.

LERNTAGEBUCH

jemand / etwas	sich
Er zieht die Kinder an.	Er zieht sich an.
...	...

........▶ Portfolio

5 Macht jetzt endlich! Schreiben Sie Sätze.

a umziehen (ihr) *Zieht euch jetzt um!*
b waschen (ihr) ....
c duschen (du) ....
d kämmen (du) ....
e anziehen (ihr) ....
f bewegen (ihr) *Los,*...

6 Im neuen Jahr ... Ergänzen Sie *mich – dich – sich – uns – euch.*

a Ich will *mich.* gesund ernähren.
b Willst du .... auch gesund ernähren?
c Sie wollen .... einfach besser fühlen.
d Er will .... nicht so viel ärgern.
e Wir wollen .... mehr bewegen.
f Wollt ihr .... auch mehr bewegen?
g Sie will .... mehr ausruhen.

A4 **7** **Gesund ins neue Jahr**

a Schreiben Sie Sätze.

1 mehr ausruhen   *Ruhen Sie sich mehr aus!*

2 nicht zu warm anziehen

3 warm und kalt duschen

4 mehr bewegen

5 nicht so viel rauchen

b Machen Sie die Sätze aus **a** höflicher mit: Sie sollten ...

Sie sollten sich mehr ausruhen. Sie sollten sich ...

A4 **8** **Schreiben Sie Sätze.**

a duscht – sich – Sie – jeden Morgen   *Sie duscht sich jeden Morgen.*

b Er – sich – immer über seinen Bruder – ärgert

c sich – zieht – Sie – heute eine Hose – an

d jeden Mittag ins Bett – legt – sich – Er

e ernähre – ab heute – mich – Ich – gesund

A4 **9** **Schreiben Sie die Sätze aus Übung 8 noch einmal. Beginnen Sie mit**
jeden Morgen – immer – heute – jeden Mittag – ab heute.

a *Jeden Morgen duscht sie sich.*   **b** *Immer ärgert ...*

A4
Grammatik
entdecken

10 **Markieren Sie die Sätze aus den Übungen 8 und 9 wie im Beispiel.**

Sie	*duscht*		*sich*	*jeden Morgen.*
Jeden Morgen	*duscht*	*sie*	*sich.*	

A4
Grammatik
entdecken

11 **Wie kann man gesund bleiben?**

Machen Sie eine Tabelle und tragen Sie die Sätze ein.

~~sich viel bewegen~~ • ~~nicht rauchen~~ • nicht so fett essen • sich nicht so viel ärgern •
mehr Sport machen • viel Obst und Gemüse essen • sich warm und kalt duschen •
sich nicht zu warm anziehen • sich oft ausruhen • viel spazieren gehen

Man kann gesund bleiben,	*wenn man*	*sich*	*viel*	*bewegt.*
	wenn man		*nicht*	*raucht.*

A4 **12** **Meine Wünsche für das neue Jahr! Schreiben Sie.**

sich weniger ärgern • sich mehr bewegen • sich mehr ausruhen • sich gesund ernähren •
spazieren gehen • ~~Sport machen~~ • weniger rauchen • Konzentrationsübungen machen ...

Im neuen Jahr möchte ich gesund leben: Ich möchte mehr Sport machen ...

13　**Ergänzen Sie.**

sich ... für • euch ... für • sich ... für • uns ... für • sich ... für • dich ... für • sich ... für

a Maria interessiert *sich* sehr *für* Mozart.

b Interessierst du .... auch .... Autos?

c Interessieren Sie .... auch .... Musik?

d Interessiert ihr .... nicht .... Sport?

e Wir interessieren .... nicht .... Fußball.

f Sie interessieren .... sehr .... Kinofilme.

g Er interessiert .... nicht .... Bücher.

14　**So kann man es auch sagen. Schreiben Sie Sätze.**

a er – Kinofilme / Kinofilme sehen

b wir – Gymnastik / Gymnastik machen

c meine Freunde – Bücher / Bücher lesen

d Maria – Musik / Musik hören

e meine Freundin – Tennis / Tennis spielen

a *Er interessiert sich für Kinofilme.*
Er mag Kinofilme.
Er sieht gern Kinofilme.

b *Wir interessieren uns für ...*

15　**Was passt? Ordnen Sie zu.**

a Heute Abend kümmere ich mich
Hast du Lust
Ich bin
Ich erinnere mich nicht mehr

b Manchmal träume ich
Warten Sie auch
Ich verabrede mich heute
Meine Tochter freut sich schon sehr

c Sprichst du noch
Denkst du bitte
Ich ärgere mich immer
Morgen treffe ich mich
Sie hat sich

mit meinem Auto nicht zufrieden.
an diese Person.
auf ein Stück Schokolade?
um die Kinder.

mit Klaus, okay?
von einem Urlaub in der Sonne.
auf den Bus nach Wiesbaden?
auf ihren zehnten Geburtstag.

an die Blumen!
über mein Auto.
über das Essen beschwert.
mit Freunden.
mit ihr?

Grammatik
entdecken

16　**Ergänzen Sie mit den Wörtern aus Übung 15.**

mit	auf	an	über	von	um
sich verabreden	....	....	....	....	....
....	....	....	....		
....	....				
....					

17　**Schreiben Sie Sätze.**

a Ich – für andere Länder – interessiere – sehr – mich
Ich interessiere mich sehr für andere Länder.

b an seinen Geburtstag – Ich – nie – denke

c habe – Heute – keine Lust – ich – auf Gymnastik

d sehr – Ich – freue – auf die Sommerferien – mich

B2

18 **Was ist richtig? Kreuzen Sie an.**

<table>
<tr><td>**a**</td><td>Hast du dich gestern mit</td><td>☐ sie verabredet?</td><td>☒ ihr verabredet?</td></tr>
<tr><td>**b**</td><td>Ich erinnere mich gern an</td><td>☐ den Urlaub.</td><td>☐ dem Urlaub.</td></tr>
<tr><td>**c**</td><td>Mein Mann träumt schon wieder von</td><td>☐ ein Auto.</td><td>☐ einem Auto.</td></tr>
<tr><td>**d**</td><td>Kümmerst du dich bitte um</td><td>☐ das Abendessen?</td><td>☐ dem Abendessen?</td></tr>
<tr><td>**e**</td><td>Wir warten jetzt schon seit zwei Stunden auf</td><td>☐ den Zug!</td><td>☐ dem Zug!</td></tr>
<tr><td>**f**</td><td>Ich habe mich sehr über</td><td>☐ dich geärgert!</td><td>☐ dir geärgert!</td></tr>
</table>

B2

19 **Ergänzen Sie.**

an • ~~mit~~ • auf • mich • dir • dich • von • ~~auf~~ • dir • von • dich • ~~mich~~ • mir • mir • mit • ~~an~~

a ■ Erinnerst du dich *an mich* ?

● Natürlich erinnere ich mich .... !

b ▲ Hey, ich spreche .... !

■ *Mit* .... ? Ich habe nichts gehört.

c ▲ Sag mal, ich warte schon seit Stunden .... !

■ *Auf* .... ? Wieso das denn?

d ● Hast du schon mal .... geträumt?

◆ Ja, ... träume ich auch manchmal!

B2

20 **Ergänzen Sie.**

a Was? Bist du wirklich heute *mit mir* verabredet? (ich)

b Ich muss immer .... denken! (du)

c Ich kann mich einfach nicht .... Tante von Otto erinnern.

d Manchmal träume ich .... (du)

e Leider kann ich mich morgen nicht .... treffen. (du)

f Kümmerst du dich heute Abend .... Kinder?

g Wie lange warten Sie schon .... Zug?

h Hast du dich sehr .... geärgert? (ich)

i Jetzt freue ich mich .... Pause.

B2

21 **Was passt zu den Bildern? Schreiben Sie Sätze.**

warten • träumen • Weihnachten • treffen • du • ~~Urlaub~~ • ärgern • Freundin • sprechen • Kinder • freuen • Sie

A

Sie träumt von ihrem Urlaub .

D

Er ....

B

Sie ....

E

„Entschuldigung, kann ich mal ....
.... ?"

C

„Unsere Kinder ....
.... "

F

„Ich möchte mich mal wieder ....
.... "

22 **Notieren Sie im Lerntagebuch.**

Machen Sie eine Liste im Lerntagebuch oder schreiben Sie Lernkarten. Auf die Vorderseite der Karte schreiben Sie Ausdrücke und Sätze aus Ihrem Alltag. Auf die Rückseite schreiben Sie die Sätze in Ihrer Sprache.

LERNTAGEBUCH

warten	*to wait*
warten auf	*to wait for*
Ich muss immer auf den Bus warten.	*I ...*

········▶ Portfolio

Phonetik 23 **Hören Sie die Sätze zweimal und markieren Sie: Wo hören Sie ein *r*?**

Wir Männer interessieren uns nicht für Gymnastik.
Wir verabreden uns lieber mit unseren Freunden zum Kartenspielen,
zum Radfahren oder zur Sportschau im Fernsehen.

Lesen Sie laut.

Phonetik 24 **Hören Sie und sprechen Sie nach.**

Regen • Regel • Regenschirm • Reparatur •
treffen • trinken • prima • praktisch •
sprechen • Sprache • Straße • Stress •
rot und rund • grün und grau • raus und rein • rauf und runter

Phonetik 25 **Was hören Sie? Unterstreichen Sie.**

a Reise – leise   **b** richtig – wichtig   **c** braun – blau   **d** hart – Halt!
e Herr – hell   **f** Rose – Hose

Hören Sie und sprechen Sie nach.

Reise – leise • Rätsel – Lösung • rechts – links • grau – blau •
groß – klein • Herr – hell

Phonetik 26 **Was passt zusammen? Sprechen Sie wie in den Beispielen.**

rot • grün • schwarz • gelb • blau • groß • klein • frisch • dreißig • elf • billig • schwierig • richtig • lang • hell • traurig • interessant • lustig

Rose • Fahrrad • Freund • Reise • Grad • Sprache • Rock • Regenschirm • Reparatur • Brötchen • Nachricht

Leben • Hotel • Leute • Film • Lied • Lektion • Kleid • Bluse • Lösung • Licht • Bild

Die Rose ist rot.   Die Leute sind lustig.   Die Lösung ist richtig.
dreißig Grad   Das Kleid ist ...   ...
...   .

C3 **27** **Ergänzen Sie.**

worauf • darauf • ~~wofür~~ • woran • darüber • ~~dafür~~ • daran • worüber

a ● .Wofür............ interessierst du dich?

▲ Für Tennis.

● .Dafür............ interessiere ich mich eigentlich nicht so sehr.

b ■ Morgen fahren wir in den Urlaub. .... müssen wir noch denken?

◆ An das Geld.

■ Sehr gut! .... habe ich gar nicht gedacht.

c ◆ Sag mal, ... ärgerst du dich denn so?

● Über das schlechte Fußballspiel.

◆ Ach, ... solltest du dich nicht ärgern!

d ■ Und .... freust du dich jetzt?

◆ Auf die Pause!

■ Ja, ... freue ich mich auch sehr.

C3 **28** **Bilden Sie Wörter.**

a wo + auf = ...worauf........ da + auf = .darauf.......... *aber:*

b wo + an = ... da + an = ... wo + für = **wofür**

c wo + über = ... da + über = ... da + für = ...

C3 **29** **Ergänzen Sie.**

a ● .Wofür........... interessierst du dich? ■ Für Bücher.

▲...................... denkst du gerade? ◆ An das Handballspiel gestern.

▼...................... freust du dich? ■ Auf die Party.

●...................... ärgerst du dich? ▼ Über das schlechte Spiel.

■...................... hast du dich gerade erinnert? ▲ An unseren ersten Kuss.

b Bücher? ..Dafür........... interessiere ich mich nicht.

Die Blumen! .... habe ich nicht gedacht.

Gymnastik! .... habe ich keine Lust.

Schlechtes Wetter! .... ärgere ich mich jedes Mal.

Der erste Kuss! .... erinnere ich mich gern.

C3 **30** **Ergänzen Sie.**

	da(r)-	wo(r)-... ?
sich freuen auf	*darauf*...........	.worauf?.........
sich interessieren für	....	....
sich ärgern über	....	....
sich erinnern an	....	....

Prüfung **31** **Welche Anzeige passt? Ordnen Sie zu.**

Lesen Sie die Anzeigen A–D und die Aufgaben 1–5. Welche Anzeige passt?
Für eine Aufgabe gibt es keine Lösung. Schreiben Sie hier den Buchstaben X.

A

Achtung Mütter und Hausfrauen!!!
Die Kinder sind in der Schule und Sie
wollen Tennis spielen?
Tennis-Stunden günstig von erfahrenem
Trainer.
Ab 8 Uhr vormittags im Parkclub
Neusserstr. 47, Info: Tel. 749484

B

Pöseldorfer Freizeitkicker
Fußball mit Spaß und ohne Stress!

Über 35 und noch Lust auf Fußball?
Wir treffen uns jeden Samstag um 14 Uhr
auf dem Sportplatz am Luisenweg.

Wir freuen uns auf euch!

C

Fahrrad-Treff

Sie lieben gemütliche Fahrradtouren?
Unsere nächste Tour ist am 12.6. und führt
uns zum und rund um das Steinhuder Meer
(ca. 50 km).

Treffpunkt 9 Uhr vor dem Rathaus.
Bei Regen fahren wir am 26.6.
Nähere Infos bei Stefan Danzer, Tel. 9523410

D

**Gesund mit dem
Sportverein Neuisenburg**

Es sind noch Plätze frei für:
**Fitnessgymnastik | Slimnastik |
Step-Aerobic**
Anmeldung noch bis 10.9.
Tel. 08043/501-370 Fax. 08043/501-277

1 Sie möchten Gymnastik machen. Ein Fitnessstudio ist Ihnen aber zu teuer.
2 Sie wollen Sport machen. Was können Sie tun? Sie möchten einen Arzt fragen.
3 Sie haben noch ein altes Fahrrad im Keller und möchten mit anderen Leuten leichte Touren machen.
4 Sie haben früher in einem Verein Fußball gespielt. Jetzt möchten Sie das in Ihrer Freizeit tun.
5 Sie möchten etwas für Ihre Gesundheit tun, haben aber nur am Vormittag Zeit, wenn die Kinder
in der Schule sind.

Situation	1	2	3	4	5
Anzeige	D				

Projekt **32** **Sport in Ihrer Stadt**

a Sammeln Sie Informationen.
Sie finden Informationen in Ihrer lokalen Zeitung, in Broschüren, im Rathaus, im Internet, am
Schwarzen Brett, in den Schulen.

- Wo kann man Sport machen?
- Gibt es ein Fitnesscenter?
- Welche Sportvereine gibt es?

- Gibt es Hobby-Sportgruppen?
- Gibt es Angebote speziell für Frauen und Kinder?

b Bringen Sie Prospekte oder Informationen mit in die Klasse. Sammeln Sie die Informationen in
einem Ordner.

- Welche Sportarten kann man machen?
- Wie kann man Mitglied werden?

- Wo kann man sich anmelden?
- Wie viel kostet es?

c Machen Sie Sport? Sind Sie in einem Verein oder Mitglied in einem Fitnesscenter?
Erzählen Sie.

Wiederholung **33** **Was passt? Ordnen Sie zu.**

<u>a</u> machen   <u>b</u> gehen   <u>c</u> fahren   <u>d</u> spielen

einen Spaziergang ⓐ   Ski ☐   ins Fitnessstudio ☐
Urlaub ☐   Eishockey ☐   Gymnastik ☐   Handball ☐
ins Schwimmbad ☐   eine Reise ☐   mit dem Fahrrad ☐
spazieren ☐   eine Busfahrt ☐   Lärm ☐

E2 **34** **Fitness-Tipps für jeden Tag. Aber was denkt Andy darüber? Ordnen Sie zu.**

So bleiben Sie im Alltag fit!

<u>a</u> regelmäßig Bewegung

<u>b</u> täglich ein bisschen Sport machen

<u>c</u> Treppen steigen

<u>d</u> zur Arbeit laufen oder mit
dem Fahrrad fahren

<u>e</u> morgens Gymnastik machen

1 Aber ehrlich gesagt: Ich schlafe morgens noch ein bisschen.
2 Sport ist wichtig, das ist doch selbstverständlich.
Aber jeden Tag? Das finde ich übertrieben.
3 Wenn ich ehrlich bin, nehme ich normalerweise das Auto.
4 Fitness ist wichtig. Das ist doch klar.
Aber man kann es auch übertreiben.
5 Ehrlich gesagt, ich benutze lieber den Aufzug.

E3 **35** **Ich fühle mich gar nicht fit ...**
Schreibtraining

<u>a</u> Lesen Sie die E-Mail und ordnen Sie zu.

☐   Cc... | susi-q@weg.web; lisa-m@hin.de

☑   Betreff: | Schreibt mal wieder

☐   Liebe Susi, liebe Lisa,

☐   tut mir furchtbar leid – ich habe Euch schon lange nicht
mehr geschrieben, aber ich arbeite so viel! Ich habe wenig
Zeit und immer Termine. Und ich mache zu wenig Sport.
Ich fühle mich gar nicht fit ...
Wie geht es Euch? Schreibt mir doch mal!

☐   Viele Grüße
☐   Hanna

1 Anrede
2 „Unterschrift"
3 Adresse
4 Gruß
5 Betreff
6 Text

<u>b</u> Susis Antwort: Ordnen Sie die Antwort und schreiben Sie dann die E-Mail.
Denken Sie an die Anrede, den Betreff, den Gruß und die „Unterschrift".

6 Und am Wochenende mache ich normalerweise lange Spaziergänge.
☐ Aber so bleibe ich fit:
☐ Und im Büro benutze ich nie den Aufzug. Ich gehe immer die Treppen zu Fuß hoch.
☐ Vielleicht gehen wir einmal zusammen spazieren? Hast Du Lust?
☐ Ich verstehe Dich gut! Bei mir ist es auch so: wenig Zeit und viel Arbeit.
☐ Wochentags gehe ich viel zu Fuß: in die Arbeit und wieder nach Hause.
☐ danke für Deine Mail.

<u>c</u> Lisas Antwort: Schreiben Sie eine E-Mail mit diesen Informationen.
Denken Sie an die Anrede, den Betreff, den Gruß und die „Unterschrift".

jeden Morgen Gymnastik machen ● zu Fuß einkaufen gehen ● montags und freitags
ins Fitnessstudio ● am Wochenende joggen ● zusammen joggen gehen?

36 **Fit für das Leben**

a Überfliegen Sie den Text. Worum geht es? Kreuzen Sie an.

☐ bessere Schulen
☐ gesunde Ernährung bei Kindern

☐ Verbot von Süßigkeiten an Schulen
☐ ein Sportprogramm gegen Übergewicht

Immer mehr Kinder haben Übergewicht
Trainingsprogramm zur gesunden Ernährung

Kinder essen zu viele Süßigkeiten und sitzen zu lange vor dem Fernseher oder vor dem Computer. Die Folge: Übergewicht. Jedes vierte Kind hat heute Probleme mit dem Gewicht.

5 An der Marion-von-Kerner-Realschule hat man nun das Trainingsprogramm „PowerKids" in Zusammenarbeit mit einer Krankenkasse getestet. Schülerinnen und Schüler der 6. Klassen haben in den letzten zwölf Wochen viel über gesunde Ernährung gelernt. „Bei diesem Programm sollen sich die Kinder mit ihren Ess- und 10 Trinkgewohnheiten spielerisch beschäftigen", so Rektorin Jutta Orth. „Wir wollen den Kindern zeigen, welche Folgen eine ungesunde Ernährung und zu wenig Bewegung haben. Später sprechen wir mit ihnen über die gesunde Ernährung."
Die meisten Schüler machen gut mit. „Ich esse jetzt nur noch ganz selten Schokolade und gehe jede Woche zum Handballtraining", meint die elfjährige Daniela. Und ihr 15 Klassenkamerad Pauli sagt: „Sogar Hamburger haben viel Fett. Ich esse jetzt nur noch einen in der Woche." Den Organisatoren der Aktion ist klar: „Letztlich müssen sich auch die Eltern um eine gesunde Ernährung ihrer Kinder kümmern. Viele Kinder müssen sich mehr 20 bewegen. In der Schule gibt es nur zwei Stunden Sport in der Woche. Das ist zu wenig." Ab jetzt bietet auch der Schulkiosk viel Obst und weniger Süßigkeiten an.

b Lesen Sie noch einmal. Kreuzen Sie an: Richtig oder falsch?

	richtig	falsch
1 Kinder ernähren sich nicht gesund und bewegen sich zu wenig.	☒	☐
2 Im Sportverein kann man etwas über gesunde Ernährung lernen.	☐	☐
3 Kinder sollen sich gesund ernähren. Das lernen sie spielerisch.	☐	☐
4 Nur süße Sachen machen dick.	☐	☐
5 An der Schule gibt es viel Sport.	☐	☐
6 In der Schule kann man viele Süßigkeiten kaufen.	☐	☐

Lernwortschatz

Gesundheit und Fitness

Bewegung die, -en ....

Fitness die ....

aus·ruhen (sich),
   hat sich ausgeruht ....

bewegen (sich),
   hat sich bewegt ....

erkälten (sich),
   hat sich erkältet ....

erkältet sein ....

ernähren (sich),
   hat sich ernährt ....

fühlen (sich),
   hat sich gefühlt ....

sich müde/schwach/
   nicht wohl fühlen ....

konzentrieren auf (sich),
   hat sich konzentriert ....

Sport und Sportarten

Eishockey das ....

Gymnastik die ....

Handball der ....

Leichtathletik die ....

Radsport der ....

Tischtennis das ....

Tennis das ....

(Fuß/Hand)Ball
   der, ¨e ....

Freibad das, ¨er ....

Hallenbad das, ¨er ....

Mannschaft die, -en ....

Saison die, -s ....

Stadion das, Stadien ....

joggen, ist gejoggt ....

turnen, hat geturnt ....

(un)sportlich ....

montags/dienstags/ ... .

Im Verein

Anfänger der, - ....

Halbjahr das, -e ....

Fortgeschrittene
   die/der, -n ....

(Mitglieds)Beitrag
   der, ¨e ....

Weitere wichtige Wörter

Abschluss der, ¨e ....

Alltag der ....

Angst die, Ängste ....

Experte der, -n ....

Gehalt das, ¨er ....

Gold das ....

Herz das, -en ....

Knie das, - ....

Kuss der, ¨e ....

Lärm der ....

Mode die, -n ....

Professor der, -en ....

Professorin die, -nen ....

Profi der, -s ....

Rathaus das, ¨er ....

Spiegel der, - ....

Teil der, -e ....

Thema das, Themen ....

Traum der, ⸚e ....

Verbot das, -e ....

Wettervorhersage
die, -en ....

Zeitschrift die, -en ....

an·ziehen (sich),
hat sich angezogen ....

ärgern über (sich),
hat sich geärgert ....

beschweren über (sich),
hat sich beschwert ....

denken an,
hat gedacht ....

duschen (sich),
hat sich geduscht ....

erinnern an (sich),
hat sich erinnert ....

freuen auf (sich),
hat sich gefreut ....

interessieren für (sich),
hat sich interessiert ....

kümmern um (sich),
hat sich gekümmert ....

legen (sich),
hat (sich) gelegt ....

möglich machen, hat
möglich gemacht ....

notieren, hat notiert ....

reagieren, hat reagiert ....

reichen, hat gereicht ....

runter·fallen,
ist runtergefallen ....

schaffen, hat geschafft ....

schlagen, schlägt,
hat geschlagen ....

sprechen mit, spricht,
hat gesprochen ....

träumen von,
hat geträumt ....

treffen mit (sich),
trifft sich,
hat sich getroffen ....

übertreiben,
hat übertrieben ....

um·ziehen (sich),
hat (sich) umgezogen ....

verabreden mit (sich),
hat (sich) verabredet ....

vor·stellen (sich),
hat (sich) vorgestellt ....

warten auf, hat gewartet ....

waschen (sich), wäscht (sich),
hat (sich) gewaschen ....

weinen, hat geweint ....

weiter- (weiter·machen,
weiter·gehen) ....

zufrieden (mit) sein ....

dünn ....

ehrlich ....

gemütlich ....

übertrieben ....

außer Betrieb ....

d.h. = das heißt ....

entfernt ....

in Ordnung ....

inzwischen ....

kaum ....

möglich ....

nachher ....

selbstverständlich ....

überhaupt ....

wohl ....

zu Hause ....

A1

1 **Wer sagt das? Ordnen Sie zu.**

Kurt, 16 Jahre

a Ich will Abitur machen.
b Ich durfte nicht studieren.
c Ich wollte damals Abitur machen.
d Ich darf nicht studieren.
e Ich wollte mit 16 noch nicht arbeiten.
f Ich will jetzt noch nicht arbeiten.

Kurt, heute

A2

2 **Mein Freund Edhem. Was ist richtig? Markieren Sie.**

Mein Freund Edhem kommt aus einem kleinen Dorf in der Türkei. Mit 15 Jahren konnte/wollte (**a**) er gern eine Ausbildung als Automechaniker machen, weil er sich immer sehr für Autos interessiert hat. Aber er durfte/musste (**b**) nicht. Sein Vater hat es nicht erlaubt. Er sollte/konnte (**c**) wie sein großer Bruder auf dem Bauernhof arbeiten. Das hat Edhem drei Jahre gemacht. Aber dann wollte/musste (**d**) er nicht mehr in dem Dorf leben. Das war ihm zu langweilig und er ist zu einem Onkel nach Izmir umgezogen. Dort musste/durfte (**e**) er endlich eine Lehre als Automechaniker machen und war sehr glücklich!

A2

3 **Ergänzen Sie.**

a Petra ...wollte............. früher unbedingt Ärztin werden, aber jetzt macht sie eine Ausbildung als Krankenschwester.

b Meine Tochter k........................ gestern nicht in die Schule gehen, weil sie krank war.

c Sie d........................ auch nicht mit ihren Freundinnen ins Schwimmbad gehen.

d Ich m........................ mit zehn Jahren immer früh ins Bett gehen.

e Entschuldigen Sie bitte, aber ich k.................. leider nicht früher kommen. Mein Zug hatte Verspätung.

f Jetzt ist es schon acht Uhr! Er s........................ doch um fünf Uhr kommen, oder?

A3

4 **Was sollte/wollte/musste Gerd diese Woche machen? Was hat er wirklich gemacht? Schreiben Sie Sätze.**

Zeitung austragen ● Geschirr spülen ● Fahrrad fahren ● Mathe lernen ● Skateboard fahren

a Montag: *Mathe lernen*

b Dienstag: *mit Erika Eis essen*

c Mittwoch: *Englisch lernen mit Mama*

d Donnerstag: *Kino mit Inge*

e Freitag: *Fußball*

Montag

Dienstag

Mittwoch

Donnerstag

Freitag

a *Gerd sollte am Montag Mathe lernen, aber er wollte lieber mit Freunden Fahrrad fahren.*
b *Am Dienstag wollte er ...*

5 Was ist richtig? Kreuzen Sie an.

		du	ihr	sie/Sie	
a	Wolltest	☒	☐	☐	auch den Film sehen?
b	Konntet	☐	☐	☐	alles verstehen?
c	Solltet	☐	☐	☐	jetzt nicht Hausaufgaben machen?
d	Konnten	☐	☐	☐	das nicht erklären?
e	Durftest	☐	☐	☐	nicht mitkommen?
f	Wollten	☐	☐	☐	mit uns ins Kino gehen oder nicht?

6 Ergänzen Sie die Tabelle.

ich	*wollte*				
du			*solltest*		
er/es/sie		*konnte*			
wir					
ihr					*musstet*
sie/Sie				*durften*	

heute:		früher:
ich will	→	ich wollte
ich möchte	→ ⚠	ich wollte

7 Ergänzen Sie in der richtigen Form.

a müssen • ~~wollen~~

▲ Wo ist denn Sabine? *Wollte* sie nicht ins Kino mitkommen?

● Doch, natürlich. Es war ja ihre Idee. Aber sie .... heute leider länger im Büro bleiben.

b wollen • dürfen • müssen • wollen

▲ Warum haben Sie denn nicht studiert? Sie haben doch Abitur gemacht! .... Sie
nicht oder .... Sie nicht studieren?

● Ich .... schon, aber meine Eltern hatten nicht genug Geld und ich ....
eine Ausbildung als Krankenschwester machen. Aber heute finde ich das einen schönen
Beruf und bin zufrieden.

c können • dürfen

▲ Warum bist du denn gestern nicht zu Ginas Geburtstagsparty gekommen? Hat es dein Vater
nicht erlaubt?

● Doch. Ich .... schon, aber ich .... leider nicht kommen, weil wir im
Sportverein unser Sommerfest hatten.

A4 8 Das Leben von Lars. Lesen und schreiben Sie.

Lars (geboren 1950)

1956: Lars will Fußballspieler werden.

1964: Lars muss mit seinen Eltern in eine andere Stadt umziehen
und die Schule wechseln.

1966: Lars will eine Lehre als Mechaniker machen, aber er darf nicht.
Seine Eltern sagen, er soll eine Banklehre machen.

1969: Lars hat die Lehre beendet und will Abitur machen.

1972: Lars hat Abitur gemacht und darf studieren. Er studiert Mathematik.

1977: Lars kann als Mathematiker arbeiten.

Als Kind .... Lars ....

Als Jugendlicher ....

.... und ....

Mit 16 Jahren .... ,

aber er .... Er... eine Banklehre ....

Nach der Lehre ....

Mit 22 Jahren hat er ....

und er ....

Er hat ....

Als Erwachsener ....

A4 9 **Jugendliche früher und heute.**

Fragen Sie Ihre Partnerin / Ihren Partner und schreiben Sie. Berichten Sie dann einer anderen
Person in der Klasse: Sie/Er durfte/konnte/musste (nicht) ...

Musstest du mit 13 Jahren ...? | mit Freunden in die Disco gehen
Durftest du mit ... Jahren ...? | jeden Abend zum Essen zu Hause sein
Konntest du mit ... Jahren ...? | deiner Mutter bei der Hausarbeit helfen
| um 22 Uhr pünktlich zu Hause sein
| auf Partys gehen
Ja, ich musste ... | mit Freunden in Ferien fahren
Nein, ich durfte nicht ... | auf deine kleinen Geschwister aufpassen
| mit deiner Freundin / deinem Freund ein Wochenende
| allein wegfahren

10 Was passt? Ordnen Sie zu.

a Es ist wichtig, —————— dass ich in Berlin studieren kann.
b Ich finde, dass du schon wieder krank bist.
c Ich bin sehr froh, dass junge Leute einen Beruf lernen.
d Es tut mir sehr leid, dass er zu wenig für die Schule lernt.

11 Ordnen Sie zu und ergänzen Sie.

Es tut mir leid ● Ich finde ● Es ist wichtig ● Ich bin glücklich ● Ich glaube ● Ich bin froh

a *Ich glaube* .... / ...., dass du zu viel arbeitest.
b ...., dass du nicht mit uns in Urlaub fahren kannst.
c ...., dass du in deiner neuen Arbeit immer pünktlich bist.
d .... / ...., dass du endlich wieder zu Hause bist.

12 Ergänzen Sie die Tabelle.

a Mutter: In Mathe war ich eine gute Schülerin.   c Sohn: Englisch ist langweilig.
b Vater: Ein gutes Zeugnis ist wichtig.   d Lehrerin: Du musst mehr Grammatik üben.

a	Meine Mutter sagt,	dass	*sie in Mathe immer sehr gut*	*war.*
b	Mein Vater meint,	dass		
c	Mein Sohn findet,	dass		
d	Die Lehrerin sagt,	dass		

13 Schreiben Sie Sätze.

a studieren – ich – durfte
Ich bin froh, dass ....

b ist – wichtig – eine gute Ausbildung
Ich finde, dass ....

c du – im – hast – Zeugnis – schlechte Noten
Es tut mir leid, dass ....

d nicht – du – verstehst – Mathe
Ich weiß, dass ....

e lernen – ein bisschen mehr – kannst – du
Aber ich bin sicher, dass ....

f können – unsere Kinder – besuchen – eine gute Schule
Wir sind glücklich, dass ....

14 Notieren Sie im Lerntagebuch. Ordnen Sie.

Es ist wichtig ● Ich freue mich ● Ich meine/denke/finde ● Es tut mir leid ● Ich glaube ●
Ich weiß ● Ich finde das interessant ● Ich ärgere mich (darüber) ● Ich bin sicher ●
Ich bin froh/glücklich/zufrieden ● Anna hat gesagt ● Schade

LERNTAGEBUCH

Gefühle ausdrücken
Ich freue mich, dass ...

Seine Meinung sagen
Es ist wichtig, dass ...

6 **B**

Es ist aber wichtig, **dass** man eine gute Ausbildung hat.

Wiederholung
Schritte plus 3
Lektion 1 und
Lektion 4

15 **Schule und Arbeit. Ergänzen Sie *weil – wenn – dass*.**

a Sie müssen in der Schule anrufen, ... Sie krank sind und sich entschuldigen.

b Wissen Sie schon, ... wir morgen länger arbeiten müssen?

c Er musste die Klasse wiederholen, ... er schlechte Noten hatte.

d Du musst viel lernen, ... du ein gutes Zeugnis haben willst.

e Ich finde, ... Herr Tegelberg ein guter Mathelehrer ist.

f Ich habe mir eine neue Arbeit gesucht, ... ich in der alten Firma wenig verdient habe.

g Ich denke, ... meine Tochter nach der Schule eine Ausbildung als Krankenschwester macht.

B4 Phonetik
CD3 24

16 **Hören Sie und markieren Sie: Wo hören Sie den *ich*-Laut?**

■ Du lernst zurzeit sehr wenig!

◆ Das ist ja auch so langweilig und total unwichtig.

■ So, und was ist denn dann wichtig?

◆ Dass ich endlich in der Fußballmannschaft so richtig mitspielen darf.

■ Aha, natürlich! Und …

◆ Entschuldige, Papa, ich hab's eilig. Es ist schon zwanzig nach zwei! Ich muss pünktlich sein.

Sprechen Sie.

B4 Phonetik
CD3 25

17 **Hören Sie und ergänzen Sie *-ig* oder *-ich*.**

glückl.*ich*....•lust..........•traur..........•freundl..........•ruh..........•höfl..........•

led..........•eil..........•berufstät..........•selbstständ..........•schwier..........•

langweil..........•günst..........•bill..........

Schreiben Sie Sätze.

Du siehst sehr glücklich aus. Der Film war lustig. …

B4 Phonetik
CD3 26

18 **Hören Sie und sprechen Sie nach.**

nach Frankfurt•zum Frühstück•am Anfang•dein Brief•mein Vater•
im Verein•dein Vorname•
eine Woche•in der Wohnung•im Wasser•aus aller Welt•im Winter•
das Gewicht•ein Gewitter•herzlichen Glückwunsch•
Ich freue mich wirklich sehr auf Freitag.•Wie viele Kartoffeln willst du?•
Vorgestern waren wir verabredet. Hast du das vergessen?•Am Freitag und
am Wochenende spiele ich im Verein.

B4 Phonetik
CD3 27

19 **Was hören Sie? Unterstreichen Sie.**

Wein – Bein•wir – Bier•Wald – bald•Wort – Brot•Wecker – Becher

B4 Phonetik
CD3 28

20 **Hören Sie und sprechen Sie leise. Wie oft hören Sie *w*, wie oft *b*?**

a w ..*////*.. b .....—..... **c** w .... b .... **e** w .... b ....
b w .... b .... **d** w .... b .... **f** w .... b ....

CD3 29

Hören Sie noch einmal und sprechen Sie laut.

B4 Phonetik
CD3 30

21 **Hören Sie und sprechen Sie nach.**

Wann bringst du den Wagen in die Werkstatt?•Ab wann wollen Sie die Wohnung
mieten?•Würden Sie mir bitte das Wasser geben?•Das ist ein Bild von Barbaras
Bruder.•Warum willst du nach Berlin fahren?•Wie viele Buchstaben hat das Wort?

22 Sehen Sie das Schema aus dem Kursbuch, Seite 64, C1, noch einmal an.
Kreuzen Sie an: Richtig oder falsch?

		richtig	falsch
a	Mit drei Jahren müssen alle Kinder in den Kindergarten gehen.	☐	☐
b	Alle Kinder müssen in die Grundschule gehen.	☐	☐
c	Nach der Grundschule kann man auf die Hauptschule, die Realschule, das Gymnasium oder die Gesamtschule gehen.	☐	☐
d	Die Hauptschule geht bis zur 9. oder 10. Klasse. Danach kann man einen Beruf lernen und zur Berufsschule gehen.	☐	☐
e	Nach dem Hauptschulabschluss kann man studieren.	☐	☐

23 Welches Wort passt nicht? Streichen Sie durch.

a Englisch – Sport – Deutsch – Spanisch

b Realschule – Gymnasium – Krippe – Hauptschule

c Unterricht ist: interessant – langweilig – toll – froh

d Berufsschule – Fachhochschule – Handwerk – Universität

24 Meinungen zum Thema Schule. Was sagen Sohn, Mutter und Opa? Schreiben Sie.

eibtraining

Schule ist oft langweilig. ● Lehrer sollen weniger Hausaufgaben geben. ● Es gibt zu wenig Sportunterricht.

Alexander Emmerich

Alexander findet, dass … . Er denkt, dass … . Auch findet er schlecht, dass …

Lehrer sollten streng sein. ● Es gibt zu wenig Unterricht in den Fächern Kunst und Musik. ● Man bereitet Schüler nicht genug auf das Berufsleben vor.

Michaela Emmerich

Seine Mutter meint, dass … . Sie findet schlecht, dass …

Schule ist heute besser als früher. ● Lehrer sind zum Glück nicht mehr so streng. ● Schüler arbeiten mehr in Partnerarbeit und Gruppen zusammen.

Franz Emmerich

Sein Opa glaubt, dass … . Zum Glück … . Er findet gut, dass …

C3

25 Sprachunterricht hier und dort

a Ordnen Sie die Sätze.

> ☑ Ich freue mich jeden Morgen auf die Schule, weil ich einen sehr netten und lustigen Lehrer habe. Die Lehrer in meiner Heimat sind nicht so nett. Sie sind streng.
> ☐ Bitte schreib mir bald! Ich freue mich auf eine Antwort von Dir.
> ☑ Ich mache seit zwei Monaten einen Deutschkurs in Wien.
> ☐ Wir sprechen auch viel Deutsch im Unterricht und machen häufig Gruppenarbeit. Das macht so viel Spaß!
> ☐ Ich finde das nicht so gut. Denn man lernt eine Sprache leichter, wenn die Lehrer freundlich sind, oder?
> ☐ Wie war der Sprachunterricht in Deiner Schule?

Schreibtraining

b Schreiben Sie nun die E-Mail. Beginnen Sie die Sätze mit den markierten Wörtern aus a.

> Betreff:
>
> Liebe ...
> wie geht es Dir? Ich habe lange nichts
> von Dir gehört.
> Seit zwei Monaten ...
> ...
> Viele Grüße
> Samira

C3
Schreibtraining

26 Antworten Sie Samira. Schreiben Sie.

- ■ Dank für die E-Mail
- ■ Wo sind Sie zur Schule gegangen?
- ■ Was war Ihr Lieblingsfach?
- ■ Wie war Ihre Lehrerin / Ihr Lehrer?
- ■ War ihr/sein Unterricht lustig/langweilig/interessant?

> Betreff:
>
> Liebe Samira,
> vielen Dank für Deine E-Mail.
> Ich habe mich sehr darüber gefreut.
> ...
> ...
> Herzliche Grüße
> ...

C3 Projekt

27 Meine Schule

a Bringen Sie ein Foto aus Ihrer Schulzeit mit. Das Foto soll eine typische Situation in der Schule Ihres Heimatlandes zeigen (Ihr erster Schultag. / Sie bekommen Ihr Abschlusszeugnis. / Ein Schulausflug ...)

b Suchen Sie eine Partnerin / einen Partner aus einem anderen Land. Zeigen Sie ihr / ihm Ihr Foto. Berichten Sie kurz:
- ■ Was sehen Sie auf dem Foto?
- ■ Was für eine Situation zeigt dieses Bild? (Wo waren Sie? In welcher Klasse waren Sie? Wie viele Jahre sind Sie zur Schule gegangen? ...)

c Dann fragt Ihre Partnerin/Ihr Partner Sie etwas über Ihr Foto.

> Das war bei einem Schulausflug.
> Auf dem Foto sieht man unsere Klasse.
> Wir waren 36 Schüler in einer Klasse.
> Mein Lehrer ...

> Der Lehrer sieht aber nett aus.
> Oder war er streng?

28 **Was passt? Ordnen Sie zu.**

a	unterstützen	schon etwas über das Thema wissen
b	eine Weiterbildung machen	die Bücher, CDs, CD-ROMs für den Unterricht
c	das Lehrmaterial	nicht mehr Anfänger
d	der/die Fortgeschrittene	das Zeugnis
e	Vorkenntnisse haben	helfen
f	das Zertifikat	in seinem Beruf etwas Neues lernen

29 **Gespräch in einer Sprachenschule.**

Sie sprechen schon gut Deutsch und möchten jetzt Spanisch lernen. Sie suchen einen passenden Kurs und gehen zu einem Beratungsgespräch bei einer Sprachenschule.

a Wer sagt das? Schülerin (S) oder Berater (B)? Markieren Sie.

☐ Haben Sie schon Vorkenntnisse?

☐ Nein. Ich bin Anfänger.

☑ Guten Tag.

☐ 110.- € für ein Semester.

☑ Guten Tag, wie kann ich Ihnen helfen?

☐ Auf Wiedersehen und vielen Dank.

☐ Ich bedanke mich und wünsche Ihnen viel Spaß und Erfolg!

☐ Ich möchte gern Spanisch lernen.

☐ Ja, das passt gut, da habe ich Zeit. Was kostet der Kurs denn?

☐ Da kann ich Ihnen zum Beispiel unseren Kurs am Dienstag und Donnerstag von 19.00 bis 20.30 Uhr anbieten.

☐ Das geht. Das ist nicht zu teuer. Kann ich mich jetzt gleich dafür anmelden?

☐ Ja natürlich. Sie müssen bitte nur dieses Anmeldeformular hier ausfüllen.

☐ Kein Problem. Das mache ich sofort. Hier bitte.

3|31 b Ordnen Sie das Gespräch. Hören Sie dann und vergleichen Sie.

S *Guten Tag.*

B *Guten Tag, wie kann ich Ihnen helfen?*

S *Ich möchte ...*

30 **Wählen Sie eine Anzeige aus dem Kursbuch, Seite 65, D1. Schreiben Sie und spielen Sie dann ein Gespräch bei der Anmeldung.**

Ich interessiere mich für Ihren Kurs ...

Ich habe noch ein paar Fragen zu dem Kurs ...

Wann / Wo findet der Kurs ... statt?

Was muss ich mitbringen?

...

D2 | Prüfung | **31**   **Brief an die Lehrerin.**

Ihre Tochter kann morgen nicht in die Schule gehen, weil ihre Großmutter gestorben ist und die Familie zur Beerdigung fährt. Schreiben Sie einen Brief an die Lehrerin.

Schreiben Sie auch eine Anrede, einen Gruß und zu jedem Punkt ein bis zwei Sätze.
- Grund für Ihr Schreiben
- Entschuldigung
- Rückkehr in die Schule
- Dank an Lehrerin für ihr Verständnis

D2 | Prüfung | **32**   **Vom Lehrling zum Firmenchef**

a Welche Schulen hat Werner Niefer besucht? Lesen Sie und markieren Sie.

Gymnasium • Hauptschule • Universität • Realschule •
Fachoberschule • Grundschule • Gesamtschule • Fachhochschule

Unsere Serie: „Vom Lehrling zum Firmenchef"
Heute: Werner Niefer, Vorstandsvorsitzender Mercedes-Benz AG von 1989 bis 1993

Werner Niefer hat nie ein Gymnasium besucht. Und doch ist er Chef von dem Weltunternehmen Mercedes-Benz geworden.

Niefer kommt 1928 in Plochingen bei Stuttgart zur Welt. Dort besucht er die Grund- und Hauptschule. Von seinen Brüdern wird einer Koch, der andere übernimmt das Gasthaus der Eltern. Niefer selbst macht nach der Hauptschule von 1943 bis 1946 bei Mercedes in Stuttgart eine Lehre als Werkzeugmacher. Diese Lehre beendet er mit so guten Noten, dass er auch ohne Abitur die Fachhochschule besuchen darf. Zwischen 1948 und 1952 studiert Niefer Maschinenbau in Esslingen.
Nach dem Studienabschluss geht Niefer zurück in seine alte Firma und macht dort schnell Karriere: 1969 wird er Geschäftsführer der Motoren- und Turbinen Union (MTU), 1976 Chef der „Produktion Personenwagen" für das In- und Ausland und 1989 schließlich Vorstandsvorsitzender.

Werner Niefer stirbt 1993 in Stuttgart.

b Richtig oder falsch? Kreuzen Sie an.

		richtig	falsch
1	Werner Niefer hat eine Ausbildung als Koch gemacht.	☐	☐
2	Nach der Lehre hat er das Fachabitur gemacht.	☐	☐
3	Er hat sein Studium beendet.	☐	☐
4	1976 ist er Chef für die Produktion von Personenwagen in der ganzen Welt geworden.	☐	☐

derholung

33 **Welche Berufe sind das? Ergänzen Sie. Das Lösungswort ist auch ein Beruf.**

```
1         H
2
3
4
5  B
6
7
8            I  N
```

34 **Welcher Beruf passt zu mir?**

Ä = AE, Ü = UE, Ö = OE

a Lesen Sie die Beiträge im Forum und ergänzen Sie.

Beruf • Erfahrung • Lehre • Arbeitsplatz • Spaß • Arbeit • Arbeitszeiten • Geld • Sicherheit

---

Modedesigner! Der richtige Beruf?

Ich will Modedesigner werden, aber mein Vater denkt, kreative Berufe haben keine Zukunft. Deshalb interessiert mich Eure *Erfahrung*..... und ich würde gern wissen, was Ihr darüber denkt. Ich finde Mode schon immer toll und will unbedingt etwas Kreatives in meinem Leben machen. Mein Vater meint aber, ich soll lieber eine .... als Bankkaufmann machen. Da verdiene ich mehr und in einer Bank hat man einen guten und sicheren .... Was denkt Ihr? Was soll ich machen?
Simon, 20 Jahre

Warum nicht Modedesigner? Wenn man sich für diesen Beruf so sehr interessiert und das wirklich machen will, kann man auch mehr .... verdienen als ein Bankkaufmann. Ich bin der Meinung, dass Du das machen solltest, was Dir am meisten Spaß macht. Man soll im Leben nicht immer nur an die .... oder das Geld denken!
Daniel, 18 Jahre

Dein Vater will wahrscheinlich nur, dass Du eine sichere Zukunft hast und einen ...., bei dem Du genug Geld verdienst. Versuche doch einfach, ihm zu zeigen, dass es auch im Modebereich sehr viele Menschen gibt, die Erfolg haben. Sprich mit ihm und sag ihm, dass Du auch etwas machen möchtest, was Dir wirklich .... macht – und dass Du als Bankkaufmann deine Kreativität nicht ausleben könntest.
Aurora, 18 Jahre

Hey, was schreibt Ihr hier? Die .... in einer Bank ist nicht so schlecht, wie Ihr denkt! Ich mach' gerade eine Lehre als Bankkaufmann. Das ist ein guter Job: Ich habe viel Kontakt mit Menschen, habe regelmäßige .... und mit den meisten meiner Kollegen versteh' ich mich sehr gut. Ich find's cool. Außerdem verdiene ich jetzt schon in meiner Ausbildung relativ gut. Modedesigner! Da musst Du doch erst mal viele Jahre für wenig oder kein Geld arbeiten. Und dann? Was passiert, wenn sich niemand für Deine Mode interessiert? Wie zahlst Du dann Deine Miete und Dein Essen?
Denis, 19 Jahre

---

b Wer sagt was? Kreuzen Sie an.

	Daniel	Aurora	Denis
a Du solltest Deinem Vater die Gründe für Deinen Berufswunsch genau erklären.	☐	☐	☐
b Es ist schön, schon in der Ausbildung genug Geld zu verdienen.	☐	☐	☐
c Bei der Berufswahl sollte das Geld nicht das Wichtigste sein.	☐	☐	☐
d Ein Job muss vor allem Spaß machen.	☐	☐	☐
e Modedesigner können sehr erfolgreich sein.	☐	☐	☐
f Ein Bankkaufmann muss kommunikativ sein.	☐	☐	☐

reibtraining

c Und was denken Sie? Schreiben Sie Ihre Meinung zu diesem Thema.

Ich finde, dass man ... *Ich wollte nach der Schule gern ...,*
Es ist wichtig, dass ... *aber dann konnte/durfte ich nicht ...*
Wenn man ..., ist es wichtig, dass ... *Meine Eltern wollten, dass ich ...* ◀

In der Schule / Im Studium

Abitur das ....

Abschluss der, ¨e ....

Abschlussprüfung
  die, -en ....

Fachhochschule
  die, -n ....

Universität die, -en ....

Heft das, -e ....

Schüler der, - ....

Schülerin die, -nen ....

Studium das, Studien ....

Unterricht der ....

Zeugnis das, -se ....

sitzen bleiben,
  ist sitzen geblieben ....

üben, hat geübt ....

faul ....

fleißig ....

streng ....

Kindergarten und Schularten

Krippe die, -n ....

Kindergarten der, ¨ ....

Grundschule die, -n ....

Berufsschule die, -n ....

Hauptschule die, -n ....

Oberschule die, -n ....

Realschule die, -n ....

Gymnasium das,
  Gymnasien ....

Gesamtschule die, -n ....

Fachoberschule
  die, -n ....

Schulfächer

(Schul)Fach das, ¨er ....

Biologie die ....

Chemie die ....

Deutsch das ....

Englisch das ....

Erdkunde die ....

Geschichte die ....

Kunst die ....

Mathe(matik) die ....

Physik die ....

Sport der ....

Ausbildung und Beruf

Ausbildung die, -en ....

Auszubildende der/die, -n
  (= Azubi der, -s) ....

Bauer der, -n ....

Bäuerin die, -nen ....

Bauernhof der, ¨e ....

Erfahrung die, -en ....

Förderung die, -en ....

Handwerk das, -e ....

Ingenieur der, -e ....

Koch der, ⁞e ....

Lehre die, -n ....

Praktikum das,
  Praktika ....

Weiterbildung die,
  -en ....

Zertifikat das, -e ....

bewerben (sich), bewirbt sich,
  hat sich beworben ....

ein Handwerk lernen ....

eine Ausbildung
  als ... machen ....

eine Lehre / ein
  Praktikum machen ....

beruflich

Computer

CD-ROM die, -s ....

drucken, hat gedruckt...

speichern,
  hat gespeichert ....

elektronisch ....

Weitere wichtige Wörter

Auflösung die, -en ....

Ausland das ....

Beginn der ....

Bereich der, -e ....

Ecke die, -n ....

Einführung die, -en ....

Erste-Hilfe-Kurs
  der, -e ....

Gegenteil das, -e ....

Jugendliche der/
  die, -n ....

Katalog der, -e ....

Organisation die, -en ....

Typ der, -en ....

Veranstaltung die,
  -en ....

Verhalten das ....

Vorbereitung die, -en ....

auf·hören,
  hat aufgehört ....

aus·denken (sich),
  hat (sich) ausgedacht ....

bluten, hat geblutet ....

erfahren, erfährt,
  hat erfahren ....

hassen, hat gehasst ....

nutzen, hat genutzt ....

organisieren,
  hat organisiert ....

unterstützen,
  hat unterstützt ....

zählen, hat gezählt ....

arm ....

bekannt ....

blöd ....

freiwillig ....

intelligent ....

korrekt ....

reich ....

häufig ....

persönlich ....

Ich habe **meiner Oma** mal so ein Bild geschenkt.

A1

1 **Alle haben Geburtstag. Was kann man schenken? Schreiben Sie.**

~~meinem~~ • ihren • ihrem • unseren • eurem • seiner

a	Bruder – einen Fußball	Ich schenke *meinem Bruder einen Fußball* .
b	Schwester – ein Buch	Er schenkt ....
c	Eltern – eine Reise	Wir schenken ....
d	Bruder – ein Bild	Sie schenkt ....
e	Hund – eine Wurst	Ihr schenkt .... ?
f	Großeltern – eine Einladung zum Essen	Sie schenken ....

A1
Grammatik
entdecken

2 **Ergänzen Sie die Tabelle.**

	Bruder	Enkelkind	Schwester	Eltern	
Das ist/sind	*mein ...*				.
Ich sehe	*meinen ...*				morgen.
Ich schenke	*meinem ...*				nichts!

Wiederholung
Schritte plus 2
Lektion 13

3 **Ergänzen Sie *mir – dir – ihm – ihr – uns – euch – ihnen – Ihnen*.**

a Morgen kaufe ich ..*mir*..... ein Fahrrad!

b Schreibst du .... eine Karte aus dem Urlaub?
Ich schreibe .... auch eine Karte.

c ▲ Gehört das Auto ....?
■ Nein, wir haben es nur geliehen.

d ● Und wie finden Thomas und Sybille das Computerspiel?
◆ Das gefällt .... gut.

e ▲ Papa, hast du .... etwas mitgebracht?
■ Ja, Kinder, das habe ich.

f In zwei Tagen hat meine Freundin Geburtstag. Da backe ich .... einen Kuchen.

g Mein Bruder braucht schon wieder Geld. Kannst du .... etwas leihen?

h Herr Schmitt, gehört diese Tasche ....?

A2

4 **Wünsche und Geschenke.**

a Wer wünscht sich was? Ordnen Sie zu.

ein Spiel • ein Computerspiel • ~~eine CD~~ • ein Fahrrad • ein Kochbuch • einen Fußball

1 *eine CD* ....
3 ....
5 ....

2 ....
4 ....
6 ....

b Wem schenken Sie was? Schreiben Sie.

1 Ich schenke *ihm eine CD* ....
2 Ich schenke ....
3 Ich schenke ....

4 Ich schenke ....
5 Ich schenke ....
6 Ich schenke ....

derholung
ritte plus 2
ion 13

5 Ergänzen Sie in der richtigen Form.

gefallen • schmecken • passen • gehören • helfen • stehen

▲ Kann ich Ihnen ....?
● Schauen Sie nur, dieses Kleid!
▲ *Gefällt* es Ihnen nicht? Wir haben auch noch andere Kleider.
● Nein, es .... mir nicht. Es ist zu klein. Haben Sie noch andere Größen?
▲ Ja … hier. Das .... Ihnen bestimmt gut.

▼ Was ist denn los, Kinder?
■ Die Suppe .... uns nicht. Papa kocht viel besser.

Wem .... diese Schuhe hier?

6 Schreiben Sie Sätze.

a kocht – Hans – eine Suppe – seinen Kindern   *Hans kocht seinen Kindern eine Suppe* .
b mir – Ich – einen Salat – bestelle   *Ich* ....
c Blumen – bringt … mit – Meine Freundin – mir   ....
d schenkt – ihrer Oma – Sie – Schmuck   ....
e du – noch ein Stück Kuchen – Gibst – mir   .... ?

7 Ordnen Sie die Satzteile aus Übung 6 zu. Markieren Sie: Wer? (Nominativ) = blau, Wem? (Dativ) = gelb und Was? (Akkusativ) = grün.

kochen
bestellen
…

WER?
Hans
Ich

WEM?
seinen Kindern
…

WAS?
eine Suppe

derholung

8 Ergänzen Sie das Kreuzworträtsel.

1 Ich habe kein Geld mehr! Kann ich mir mal zehn Euro (1)?
2 Wie findest du das Kleid? (2) es mir?
3 Die Tasche ist so schwer. Komm, (3) mir mal!
4 Diese Schuhe sehen nicht gut aus. Sie (4) mir nicht.
5 Ich (5) dir alles Gute zum Geburtstag.
6 Ich habe im Hof Schuhe gefunden. Wem (6) die?
7 Ich brauche noch Butter. Kannst du mir eine (7)?
8 Die Schuhe sind zu klein, sie (8) mir nicht.
9 Die Suppe (9) uns heute gar nicht!

A4 **9** **Notieren Sie im Lerntagebuch.**

Lernen Sie die Ausdrücke aus dieser Lektion. Schreiben Sie Beispiele aus Ihrem Alltag dazu.
Schreiben Sie wieder: Wer?/Was? (Nominativ) = blau, Wem? (Dativ) = gelb und
Was? (Akkusativ) = grün.

LERNTAGEBUCH

	WER? (Person 1) WAS? (Sache)		WEM? (Person 2)	
helfen	*Ich*	*helfe*	*dir.*	
gefallen	*Das Sofa*	*gefällt*	*mir.*	
gehören				
passen				
stehen				
schmecken				
	WER? (Person 1)		WEM? (Person 2)	WAS? (Sache)
geben	*Du*	*gibst*	*mir*	*den Schlüssel.*
schenken	*Ich*	*...*		

A4 **Phonetik** **CD3** 32 **10** **Hören Sie und sprechen Sie nach, zuerst langsam, dann schnell.**

a Hoch•zeits•tag – Hochzeitstag•Blu•men•strauß – Blumenstrauß•
Weih•nachts•fest – Weihnachtsfest•Ge•burts•tags•ge•schenk – Geburtstagsgeschenk

b Herzlichen Glückwunsch zum Hochzeitstag.

c Alles Gute zum Geburtstag, das wünschen wir dir.

d ▲ Was schenkst du mir zum Geburtstag?
● Was wünschst du dir denn?
▲ Schenkst du mir einen selbst gebackenen Kuchen?

A4 **Phonetik** **11** **Was passt zusammen? Suchen Sie Wörter. Sprechen Sie zuerst langsam, dann schnell:** *Geburtstagskuchen, Geburtstags ...*

zeits	burts		kleid	par	
	Ge		te	ku	fei
Hoch	tags	fest	ty		
	kar			chen	er

A4 **Phonetik** **CD3** 33 **12** **Hören Sie und sprechen Sie nach.**

Schmerzen – Kopfschmerzen•schreiben – Kugelschreiber•sprechen –
Fremdsprache•Schwester – Krankenschwester•zwanzig – achtundzwanzig•
Schreibst du mir schnell?•Zwei mal zwei und acht sind zwölf.•
Zwanzig Schweizer schwimmen im Schwarzen Meer.

Was soll ich denn mit dem Bild? – Na was wohl?
Du gibst **es ihr**.

B 7

derholung **13** **Ergänzen Sie die Tabelle.**
ritte plus 2
tion 13 und
tion 14

	Ich kenne ...	Wer gibt ... zehn Euro?		Ich kenne ...	Wer gibt ... zehn Euro?
ich	*mich*		wir		
du			ihr		
er			sie/Sie		*ihnen / Ihnen*
es					
sie		*ihr*			

14 **Ersetzen Sie die unterstrichenen Wörter durch *ihn – es – sie*.**

a Ich habe meinem Bruder einen Fußball geschenkt.

Ich habe ihn meinem Bruder geschenkt. ....

b Hast du deiner Schwester das Geld zurückgegeben?
Hast du ....

c Können Sie mir diesen Fotoapparat wirklich empfehlen?

....

d Kannst du mir dein Fahrrad leihen?

....

e Ich schreibe dir seine Adresse auf.

....

f Kannst du mir einen Salat bestellen?

....

15 **Ergänzen Sie.**

a ▲ Hier sind die Pralinen für Oma. Bringst du *sie ihr* .... bitte mit.
     ● Klar, mache ich.

b ■ Hast du Paul die CD schon zurückgegeben?
     ● Ja, ich habe .... gestern gebracht.

c ▼ Du, du hast doch ein Auto. Kannst du .... morgen leihen?
     ● Tut mir leid, morgen brauche ich es leider selbst.

d ◆ Können Sie mir bitte das Buch einpacken?
     ■ Natürlich, einen Moment bitte. Ich packe .... gleich ein.

e ■ Können Sie mir die Telefonnummer von Frau Wagner geben?
     ● Ja, das ist die 2014980.
     ■ Moment, ich muss .... aufschreiben.

f ▼ Wir haben die Hausaufgabe leider nicht verstanden.
     ■ Kein Problem, ich kann .... noch einmal erklären.

B2 | 16 | Empfehlungen für ein Restaurant. Schreiben Sie.

a ▲ Ist das Parkhotel Krämer gut?

● Das Parkhotel Krämer? *Ich kann es Ihnen sehr empfehlen!* ....

b ▲ Wie ist dort die Gemüsesuppe?

● Sehr gut! Ich kann *sie* ....

c ▲ Und wie ist da der Fisch?

● Sehr frisch. Ich kann ....

d ▲ Und wie schmecken die Salate?

● Gut. Ich kann ....

B2 | 17 | **Ergänzen Sie.**

a ▼ Wo ist denn der Kugelschreiber?

● Moment, ich gebe *ihn dir*............... gleich.

b ■ Wie funktioniert denn dieses Gerät?

▲ Ich erkläre ....

c ● Ich will aber dieses Computerspiel!

▼ Du musst .... Von mir bekommst du kein Geld.

d ■ Wo ist denn die Zeitung?

▲ Moment, ich ....

e ◆ Papa, unser Ball liegt auf dem Dach!

■ Wartet, ich ....

f ▼ Und wir nehmen eine Pizza.

● Gern, ich ....

B3 Phonetik
CD3 34 | 18 | **So spricht man meistens und so schreibt man. Hören Sie und sprechen Sie nach.
Ergänzen Sie dann.**

a ▲ Was soll ich denn mit dem Bild?
● Du gibst's ihr.　　　　　　　Du gibst .... ihr.

b ▼ Gibst du mir bitte das Glas dort?
■ Hol's dir bitte selbst.　　　　Hol .... dir bitte selbst.

c ▲ Brauchst du das Wörterbuch?
▼ Ja. Gibst du's mir bitte rüber?　Gibst du .... mir bitte rüber?

d ■ Ich brauche den Tesafilm.
▼ Ich geb'n dir gleich.　　　　Ich geb..... .... dir gleich.

e ● Ich habe mir einen Fotoapparat gekauft.
■ Toll. Kannst du'n mir mal leihen?　Kannst du .... mir mal leihen?

B3 Phonetik
CD3 35 | 19 | **Hören Sie und lesen Sie leise mit.**

Mein Freund hat mir'n Fahrrad geschenkt,'n super Ding. Wir haben auch schon
'ne Radtour gemacht, nach Wien. Mein Freund hat dort 'nen Onkel. Der hat uns
in so'n Wiener Café eingeladen, das war toll. Fahr auch mal hin, ich kann's dir
nur empfehlen. Ich hab' auch 'nen Prospekt von Wien, ich zeig'n dir mal.

Lesen Sie laut.

Projekt **20** **Feste in Ihrem Land**

a **Machen Sie eine Umfrage im Kurs.**

■ Welche Feste feiern Sie? An welchen Tagen gibt es bei Ihnen Geschenke? Was schenken Sie?

Weihnachten, Ostern, Pfingsten, Nikolaus, Namenstag, Geburtstag, Valentinstag, Muttertag, Vatertag, Hochzeit, Geburt, goldene Hochzeit …

■ Welche Musik hören Sie?
■ Gibt es besondere Tänze?
■ Welches Essen essen Sie?

b **Ihr Lieblingsfest – bringen Sie alles mit in den Kurs:**
Fotos, Musik, typische Geschenke, Rezepte für typisches Essen etc.

Prüfung **21** **Fragen Sie und antworten Sie zum Thema „Geburtstag und Geschenke".**

Thema: Geburtstag und Geschenke	Thema: Geburtstag und Geschenke	Thema: Geburtstag und Geschenke
Wann …?	Wer …?	Was …?

Thema: Geburtstag und Geschenke	Thema: Geburtstag und Geschenke
Wem …?	Für wen …?

Wann hat deine Schwester Geburtstag?

Ich schenke ihm …

Am 9. Februar.

Was schenkst du deinem Vater zum Geburtstag?

22 **Welche Fragen fallen Ihnen zum Thema „Geschenke einkaufen" ein. Notieren Sie.**

Thema: Geschenke einkaufen	Thema: Geschenke einkaufen	Thema: Geschenke einkaufen
Wo …?	Wie lange …?	Was …?

Thema: Geschenke einkaufen	Thema: Geschenke einkaufen	Thema: Geschenke einkaufen
Haben Sie …?	Können Sie …?	Gibt es …?

D4

23 **Eine Hochzeitsfeier. Was passt? Ordnen Sie die Sätze den Bildern zu.**

Satz	a	b	c	d	e	f
Bild	4					

a Das Brautpaar und die Gäste sind zum Abendessen im Restaurant.
b Das Brautpaar tanzt zuerst.
c Das Brautpaar und die Gäste fahren durch die Straßen.
d Viele Freunde und Bekannte warten vor der Kirche.
e Die Braut wirft den Brautstrauß. Ein Mädchen fängt ihn. Man sagt, dass sie als Nächste heiratet.
f Der große Moment für das Brautpaar: Sie tauschen die Ringe und sagen „Ja!".
  Sie sind jetzt Frau und Mann.

D4
Schreibtraining

24 **Sie waren auch dabei! Schreiben Sie eine E-Mail über diese Hochzeit.**

Betreff:

Liebe Alexandra,

stell Dir vor, am Wochenende war ich auf der Hochzeit von Bernhard
und Bianca. Es war toll.

Ich muss ja in der Kirche immer weinen – und es war wirklich so schön:
Bernhard und Bianca haben ...
Vor der Kirche haben viele Freunde ...
Dann sind das Brautpaar und alle Gäste ...
Nach dem Hochzeitsessen hat ...
Es war sehr lustig, und am Ende haben alle getanzt. Dann hat die Braut ...

D4
Schreibtraining

25 **Ein besonders schönes Fest: Schreiben Sie eine E-Mail.**

a Sammeln Sie zuerst Informationen:

  ■ Was haben Sie gefeiert?
  ■ Wann und wo haben Sie gefeiert?
  ■ Wer war dabei?
  ■ Wie haben Sie gefeiert?
  ■ Was ist alles passiert?

b Ordnen Sie die Informationen und schreiben Sie.

  Vor ... – Dann ... – Danach ... – Nach ... – Am Ende ...

26   Ergänzen Sie.

unterhalten • organisieren • planen • dekorieren • tanzen • einladen • kochen • passen • kaufen

● Nächsten Monat habe ich Geburtstag. Wir sollten die Feier bald *planen* . (a)

▲ Und was möchtest du machen?

● Am liebsten eine Party mit guter Musik. Ich möchte viel .... (b)

▲ Ich weiß nicht, ich möchte mich lieber mit den Gästen .... (c)

● Und dann willst du sicher wieder ein großes Menü .... ? (d)

▲ Genau! Ich finde ein gutes Essen sehr wichtig. Da muss man auch nicht so viel

.... (e) wie bei einer Party.

● Also, ich meine, jeder bringt etwas mit, dann müssen wir nur noch die Getränke

.... (f)

▲ Gut. Es ist dein Geburtstag. Und wie viele Leute willst du .... ? (g)

● So etwa 50.

▲ Was? So viele Leute .... (h) doch gar nicht in unsere Wohnung.

● Ach was, das geht schon. Aber wir müssen noch das Wohnzimmer schön .... (i).
Mir ist wichtig, dass die Stimmung gut ist.

▲ Na ja, die Hauptsache ist, dass du deinen Spaß hast!

27   Verrückte Partys

a   Lesen Sie die Einladungen. Welche Antwort passt? Ordnen Sie zu.

A

Tanz auf dem Balkon!

Wie viele Leute passen
auf ein mal zwei Meter
und tanzen Hip-Hop?
Großer Party-Test in Susis
Einzimmerwohnung.

Nächsten Samstag
ab 22 Uhr.

B

**Alle feiern Silvester!
Wir feiern Neujahr!**

Wenn alle schlafen,
machen wir unsere Party.

Ort: bei Michi im Garten
Zeit: 1. Januar,
6 Uhr morgens

C

Fotohandy-Party

Immer nur weggehen? Bleib
doch einfach mal zu Hause!
Spiel deine eigene Musik und
tanz dazu. Mach dein Fotohandy
an und mach ein Bild von dir.
Schick das Bild an alle anderen.
Das wird ein großer Spaß!
Die Bilder stellen wir ins Internet.

1   Danke für die Einladung. Endlich mal etwas anderes. Ich kann eine heiße Suppe machen,
denn wir wollen ja feiern und es ist sicherlich kalt! Also, eine heiße Suppe? Und du weißt doch:
Meine Suppen schmecken auch immer lecker!

2   Toll! Super! Weißt du, ich habe viele CDs. Soll ich die mitbringen? Ich komme mit meiner
Freundin Clara. Dann wird es auch richtig voll.

3   Das ist eine gute Idee. Ich habe auch noch eine Idee: Jeder bestellt sich was beim Pizza-Service
und fotografiert sich beim Essen. Das ist sicher lustig!

Einladung	A	B	C
Antwort			

Prüfung

b   Schreiben Sie eine Antwort zu einer Einladung aus <u>a</u>. Wählen Sie drei Punkte aus und schreiben
Sie zu jedem Punkt ein bis zwei Sätze.

■ jemanden mitbringen
■ CDs
■ Essen und Getränke
■ Kleidung

Lernwortschatz

Geschenkideen

Geldbeutel der, - ....

Gutschein der, -e ....

Konzertkarte die, -n ....

Kette die, -n ....

Kochbuch das, ¨er ....

Parfüm das, -s ....

Praline die, -n ....

Puppe die, -n ....

Schmuck der ....

schenken,
   hat geschenkt ....

verschenken,
   hat verschenkt ....

selbst gemacht ....

Geschenke verpacken

Geschenkpapier das ....

Klebeband das, ¨er ....

Packpapier das ....

Schleife die, -n ....

Schnur die, ¨e ....

Tesa(film) der ....

ein·packen,
   hat eingepackt ....

Hochzeit

Braut die, ¨e ....

Bräutigam der, -e ....

Brautkleid das, -er ....

Brautpaar das, -e ....

Brautstrauß der, ¨e ....

Hochzeit die, -en ....

Hochzeitsfeier
   die, -n ....

Hochzeitstorte
   die, -n ....

Kirche die, -n ....

Standesamt das, ¨er ....

Trauung die, -en ....

kirchlich ....

kirchliche Trauung ....

Weitere wichtige Wörter

Altersheim das, -e ....

Betrag der, ¨e ....

Empfehlung die, -en ....

Kontakt der, -e ....

Raum der, ¨e ....

Rollstuhl der, ¨e ....

Stimmung die, -en ....

Unterhaltung die,
  -en ....

Wert der, -e ....

Zoo der, -s ....

an·schneiden,
  hat angeschnitten ....

auf·passen,
  hat aufgepasst ....

empfehlen, empfiehlt,
  hat empfohlen ....

gewinnen,
  hat gewonnen ....

kaputt·gehen,
  ist kaputtgegangen ....

überraschen,
  hat überrascht ....

überzeugen,
  hat überzeugt ....

unterhalten (sich),
  unterhält sich,
  hat sich unterhalten ....

gültig ....

vorgestern ....

zusätzlich- ....

bestimmt- ....

Welche Wörter möchten Sie noch lernen?

....

....

....

....

....

....

....

....

....

....

....

....

....

CD3 36

1 Oscar und Rebecca haben Probleme beim Deutschlernen.

Was finden sie schwierig? Hören Sie die Gespräche und kreuzen Sie an.

	Schreiben	Sprechen	Lesen	Hören
Oscar	☐	☐	☐	☐
Rebecca	☐	☐	☐	☐

CD3 36

2 Welche Tipps gibt der Lehrer?
Hören Sie noch einmal und kreuzen Sie an.

Du kannst doch …

☐ im Internet surfen ☐ Wortkarten schreiben ☐ in der Freizeit mehr Deutsch sprechen
☐ viel Zeitung lesen ☐ deutsche Musik hören ☐ einen Konversationskurs besuchen
☐ deutsche Bücher lesen ☐ Radio hören ☐ eine Stunde pro Woche zu Hause Deutsch sprechen
☐ die Arbeitsbuch-CD hören

3 Und Sie? Was finden Sie schwierig beim Deutschlernen? Was brauchen Sie?

a Notieren Sie.

Beispiel:

Name: ....

Was ist mein Problem?

Was will ich?

Name: *Sylvia*..............................

Was ist mein Problem?
schreiben

Was will ich?
Ich brauche mehr Übungen.

b Sprechen Sie in der Gruppe und geben Sie Tipps (z.B. aus Übung 2)

▸ **Was kann ich nicht?**
Mein Problem ist | *die Grammatik / das Vokabular.*
| *das Schreiben / Sprechen / Lesen / Hören.*
Schreiben / … finde ich (sehr) schwierig.
Ich kann nicht so gut schreiben / sprechen / lesen / … ◂

▸ **Was will ich?**
Ich möchte viel schreiben / sprechen / lesen / hören.
Ich brauche mehr Übungen / Texte / Grammatik / Zeit für die Übungen im Unterricht.
Können Sie mir mehr Hausaufgaben / noch andere Übungen … geben? ◂

▸ **Um Hilfe beim Lernen bitten**
Was kann ich da machen?
Wo finde ich Tests / Hörtexte / Übungen / …?
Wie kann ich besser schreiben / …? ◂

Schreiben finde ich schwierig.
Ich mache immer so viele Fehler.
Was kann ich da machen?

Schreib doch Mails auf Deutsch an
deine Freunde oder chatte im Internet.
Das macht auch noch Spaß.

1 **Wie heißt das Projekt? Hören Sie und kreuzen Sie an.**

☐ Unsere Stadt lernt Deutsch   ☐ Deutschlernen in unserer Stadt   ☐ Deutschlernen im Kurs –
schnell und effektiv

2 **Was machen Paola, Barış, Lara und Serap?**
Hören Sie und ergänzen Sie die Namen.

beim Ausländeramt anrufen
....

Im Internet suchen
....

Deutsch lernen
in Mannheim

vhs-Programm mitbringen
....

in der Schule fragen
....

3 **Ergänzen Sie. Hören Sie noch einmal und vergleichen Sie.**

Kannst du das nicht übernehmen? • Das wäre nett. • ~~Kein Problem. Das kann ich gern machen.~~ •
Das möchte ich nicht so gern machen. • Kann ich vielleicht ...? • Das mache ich gern.

Serap: Super! Da haben wir ja echt viele Ideen gesammelt. Aber wer macht denn jetzt was?
Wer besorgt denn das vhs-Programm?

Barış: *Kein Problem. Das kann ich gern machen.* . Ich wohne nicht weit!

Serap: Sehr schön, Barış! Und wer ruft im Ausländeramt an? Vielleicht gibt es ja noch andere
Kurse. Vielleicht sogar kostenlos. Da müssen wir fragen. Paola? ....

Paola: Nein, ich spreche so schlecht Deutsch. ....
.... Aber ich kann gern in der Schule fragen. Die
Lehrerin von meiner Tochter ist sehr nett.

Serap: Na gut. Dann rufe ich halt im Ausländeramt an. Und Lara, du suchst im Internet.
Kannst du das machen? ....

Lara: Ach nö. Bitte nicht Computer und Internet. Das finde ich so schwierig!
.... im Ausländeramt anrufen? ....

Serap: Also rufst du dann im Ausländeramt an? Und was mache ich jetzt?

Barış: Na, Serap. Ist doch alles klar. ...

4 **Deutschlernen in Ihrem Ort! Arbeiten Sie in Gruppen. Wo gibt es Kurse und Angebote?**

Machen Sie ein Projekt. Welche Aufgaben gibt es?
Wer macht was? Sprechen Sie in der Gruppe.

Ich kann zur Stadtbibliothek fahren.
Vielleicht gibt es dort DVDs.

▼*Wünsche äußern*
Ich kann ...
Ich möchte gerne .. / Kann ich vielleicht ... ? /
Das mache ich gern.   ◢

▼*Aufträge erteilen*
Kannst du vielleicht ...?/ Kannst du das machen?
Das wäre nett.   ◢

▼*Aufträge ablehnen*
Das möchte ich nicht so gerne machen.
Dazu habe nicht so viel Lust.   ◢

▼*Aufträge annehmen*
Das kann ich gerne übernehmen.
Kein Problem.
In Ordnung.   ◢

······▶ PROJEKT

1 Alba sucht eine Wohnung im Internet.

Sie sucht ein bis zwei Zimmer und möchte eine große Küche. Welche Wohnung klickt sie an? Kreuzen Sie an.

	Zimmer	Wohnfläche		Kaltmiete	
A ☐	1	**Heller Single-Wohntraum im Grünen** 35 m²		[Kochnische] 295	Details
B ☐	1,5	**Tolle Single-Wohnung mit schöner, heller Küche!** 40 m²		[EBK] 320	Details

2 Welche Informationen bekommt Alba über die Wohnung? Ergänzen Sie.

Zimmer:	1,5	Einbauküche: ✓	
Wohnfläche:	40,00 m²	Bezugsfrei ab: 1. April	
Kaltmiete:	320 EUR	Nebenkosten: 90 EUR	
Warmmiete:	410 EUR	Heizkosten sind in Nebenkosten enthalten: ✓	
Etage:	3	Kaution: 3 KM	
Keller:	✓	Provision: 2 KM	
Aufzug:	✓		

(Anbieter kontaktieren)

Angeboten von:
Stefan Neumaier Immobilienvermittlung
Kontaktaufnahme für Besichtigungstermin:
✉ E-Mail: neumaier@immotraum.de
☏ Telefon: 06181/3080-0

a Die Wohnung ist .... Quadratmeter groß.

b Sie kostet inklusive Nebenkosten .... Euro pro Monat.

c Alba muss .... Kaltmieten Kaution, also .... Euro zahlen.

d Der Makler Stefan Neumaier bekommt .... Euro Provision.

e Alba kann ab .... in die Wohnung einziehen.

CD3 39 · 3 Alba ruft beim Makler an. Ergänzen Sie das Gespräch. Hören Sie dann und vergleichen Sie.

Ist die noch frei? • Kann ich die einmal ansehen? • Ich interessiere mich • Wie ist denn die Adresse? • ich suche

● Guten Tag. Mein Name ist Alba Grilli.

.... für die Einzimmer-

wohnung in Mühlheim. *Ist die noch frei?*......?

▲ Tut mir leid, die ist schon vergeben. Aber vielleicht kann ich Ihnen eine andere Wohnung anbieten? Was suchen Sie denn?

● Also, ... eine kleine Wohnung bis maximal 350 Euro kalt. Und ich möchte eine extra Küche, also nicht nur eine Kochnische.

▲ Da kann ich Ihnen eine schöne Wohnung anbieten. Sie hat eine große Küche und kostet nur 300 Euro.

● Das klingt gut. ....

....

▲ Ja, natürlich. Gern. Der nächste Besichtigungs-termin ist am Freitag um 17 Uhr.

● Gut, ich komme gern.

....

....

▲ Taunusstraße 8 in Mühlheim. ... Und noch etwas: Bringen Sie doch Ihren Ausweis und die Gehaltszettel von den letzten drei Monaten mit.

● Ja, gut, mache ich. Danke. Auf Wiederhören.

4 Spielen Sie das Gespräch.

Interessent/in	Makler/in
Sie suchen: 2 Zimmer, Garage, bis 500 Euro warm.	Angebot: 2-Zimmer-Wohnung mit Garage, 520 Euro warm Adresse: Rosenweg 10, Mühlheim Besichtigungstermin: morgen, 18 Uhr

┈┈┈▶ PROJEKT

1 Was passt? Lesen Sie und ergänzen Sie das „Thema" in der Betreffzeile.

Adressänderung • ~~Eigenbedarf~~ • Kündigung • Mieterhöhung

A .... zum 1. September 20..

Sehr geehrter Herr Guacho,

die Modernisierung im Haus in der Keplerstraße 89 ist abgeschlossen. Wir freuen uns mit Ihnen über mehr Wohnqualität durch neue, große Balkone und niedrige Heizkosten. Nach der Modernisierung beträgt die Kaltmiete jetzt für Sie 458 Euro pro Monat. Sie können bis zum 31. August Widerspruch einlegen.

Mit freundlichen Grüßen

Jürgen Raab

B ....

Sehr geehrter Herr Raab,

ich kündige meinen Mietvertrag für die Wohnung in der Keplerstr. 89, 45147 Essen, 2. Stock, fristgerecht zum 31. August 20..

Für den Wohnungsübergabetermin rufe ich Sie in den nächsten Tagen noch an.

Mit freundlichen Grüßen

Q. Guacho

C Versicherungsnummer 203048/A
Mitteilung über ....

Sehr geehrte Damen und Herren,

ab dem 1. September 20.. ist meine Adresse Pilotystr. 1, 45147 Essen.

Bitte notieren Sie meine neue Anschrift in Ihren Unterlagen.

Mit freundlichen Grüßen

Q. Guacho

D Kündigung wegen *Eigenbedarf* ....

Sehr geehrte Frau Angerer,

leider müssen wir Ihnen die Wohnung in der Keplerstr. 89, EG links, zum 30.11.20.. kündigen. Der Grund: Wir brauchen die Wohnung für meine 75-jährige Mutter. Sie kann nicht mehr gut gehen und braucht eine Wohnung im Erdgeschoss. Wie Sie wissen, wohnt meine Mutter im 4. Stock. Vielleicht dürfen wir Ihnen ja diese Wohnung anbieten?

Mit freundlichen Grüßen

Jürgen Raab

2 Was ist richtig? Lesen Sie noch einmal und kreuzen Sie an.

A Der Mieter soll mehr Miete bezahlen,

1 weil die Wohnung jetzt einen neuen Balkon hat und die Heizkosten nicht mehr so hoch sind. ☐

2 weil der Vermieter die Wohnung ab September modernisieren will. ☐

B Der Mieter will

1 bis Ende August aus der Wohnung ausziehen. ☐

2 im September ausziehen. ☐

C Herr Guacho

1 möchte Informationen über eine Versicherung. ☐

2 informiert seine Versicherung über seine neue Adresse. ☐

D Der Vermieter hat Eigenbedarf. Er will

1 selbst in die Wohnung einziehen. ☐

2 die Wohnung für seine Mutter haben. ☐

3 Ergänzen Sie die Kündigung.

kündigen • ziehen • Übergabetermin • Wohnung

Sehr geehrter Herr Sperling,

wir .... nach Berlin.
Wir .... die .... in der Baaderstraße 43
fristgerecht zum 30.9.20..
Als .... schlagen wir den 27.9. vor.

Mit freundlichen Grüßen
Ilona und Markus Enders

1 **Welche Bilder passen? Ordnen Sie zu.**

5 Asthma • ☐ hoher Blutdruck • ☐ Herz und Kreislauf • ☐ Heuschnupfen (Pollenallergie) •
☐ Allergie gegen Tierhaare

2 **Frau Pendic ist beim Arzt und muss ein Formular ausfüllen.**
Lesen Sie das Formular und beantworten Sie dann die Fragen.

a Bei welchem Arzt ist Frau Pendic?
b Hat Frau Pendic eine Krankheit? Wenn ja, welche?
c Welches Medikament nimmt Frau Pendic? Lesen Sie noch einmal den Namen und überlegen Sie:
Bei welcher Krankheit / welchen Krankheiten kann das Medikament helfen?

Zahnarztpraxis Dr. Schallenberger · Auf der Bult 10 · 28759 Bremen

▸ **Bitte vor der Untersuchung ausfüllen und bei der Anmeldung abgeben!**

Patient: *Pendic* *Dijana* *4.12.1983*
Name Vorname geb.

Anschrift: *Richthofenstr. 5a* *0421 / 6770244* *28755* *Bremen*
Straße Telefon Postleitzahl Ort

Krankenkasse: *DKK*

▸ **Im Interesse einer komplikationslosen Behandlung bitten wir um folgende Angaben:**

Erkrankungen von Herz / Kreislauf: (ja) / nein wenn ja - welche: *hoher Blutdruck*

Infektionskrankheiten (Tbc, Hepatitis usw.): ja / nein wenn ja - welche: .....

Innere Krankheiten (Diabetes, Asthma usw.): ja / nein wenn ja - welche: .....

Allergien: ja / nein wenn ja - welche: .....

schwanger: ja / (nein) wenn ja - welcher Monat?: .....

Nehmen Sie zurzeit Medikamente ein? (ja) / nein wenn ja - welche: *Allergodoos*

Sonstiges: .....

Ihre Angaben werden von uns elektronisch gespeichert, unterliegen aber den strengen Bestimmungen des Datenschutzes und der ärztlichen Schweigepflicht.

Ich bestätige die Richtigkeit der obigen Angaben.

28. Juli *D. Pendic*
Datum Unterschrift

---

3 **Oh! Da hat Frau Pendic wohl einige Informationen vergessen. Hören Sie und**
ergänzen Sie das Formular.

→ PROJEKT

1 „Gesund leben" - Was heißt das für Sie? Ergänzen Sie.

gesund leben

viel Obst essen

2 Was tun Sie für Ihre Gesundheit? Sprechen Sie mit Ihrer Partnerin / Ihrem Partner.

Ich tue leider nicht so viel für meine Gesundheit. Ich mache nicht gern Sport, ich ...

Ich finde, ich lebe gesund. Ich esse viel Obst ...

3 So geht das wirklich nicht weiter, Bert!

Vielleicht hilft Bert ja das Angebot der Krankenkasse.

a Lesen Sie den ersten Abschnitt und markieren Sie.
Was bietet die DKK an? (rot) Was bekommt man dafür? (grün)

b Lesen Sie den Text zu Ende und ordnen Sie zu.
Anti-Stress-Kurse • Ernährungskurse • Raucherentwöhnungskurse •
Bewegungskurse • Arztbesuche

DKK Deutschlands große Krankenkasse
Bonusprogramm - Punkten Sie sich fit!

Wer gesund isst, Sport treibt und regelmäßig zum Arzt geht, tut etwas für seinen Körper und seine Gesundheit. Die DKK bietet Ihnen Ernährungs- und Fitnesskurse an. Oder gehen Sie mal wieder zum Arzt und lassen Sie sich von Kopf bis Fuß untersuchen! Das alles kostet Sie nichts! Im Gegenteil: Sie bekommen für jeden Kurs und für jede Untersuchung Punkte. Schon ab 500 Punkten gibt es eine tolle Sachprämie (z.B. eine Sporttasche von Panda, weitere Prämien, s. www.dkk-bleib-fit.de) oder 30 Euro!

Machen Sie mit beim Programm „Aktiv Punkte sammeln"!

Kurse	Zahl der Bonuspunkte	So oft dürfen Sie diese machen
Fett weg! XXL war gestern. ■ Gesund kochen für die ganze Familie! ■ Wie ernähre ich mich richtig?	150	max. 2 Kurse pro Jahr
Bleiben Sie fit! ■ Gymnastik und Rückenschule ■ Aqua-Jogging ■ Nordic Walking	150	max. 2 Kurse pro Jahr
Relaxen lernen ■ Yoga ■ Meditation	150	max. 2 Kurse pro Jahr
Rauchfrei in 10 Schritten! ■ Das Rauchfrei-Programm – Morgen fange ich an! ■ Den 1. Schritt gemeinsam machen!	150	max. 2 Kurse pro Jahr
Untersuchungen ■ Gesundheits-Check-up ab 35 Jahren ■ Zahnvorsorge	200	1 x pro Jahr

Anti-Stress-Kurse

4 Sammeln Sie 500 Punkte für Bert. Was wählen Sie für ihn aus?

Ich finde, Bert soll mal einen Anti-Stress-Kurs machen, einen Yogakurs zum Beispiel. Das gibt 150 Punkte.

Nein, zuerst braucht er doch ...

⋯⋯▶ PROJEKT

1 Was passt zusammen? Ordnen Sie zu.

a jemanden vertreten   **1** jemand informieren

b Bescheid geben   **2** jemand sagen, was er/sie arbeiten soll

c einen Auftrag geben   **3** die Arbeit von einem Kollegen / einer Kollegin machen, wenn er/sie krank oder in Urlaub ist

2 Frau Sanchez und Frau Nokic arbeiten als Putzhilfen im Hotel Bergblick.

Lesen Sie und ergänzen Sie die Nachricht von der Hotelchefin Frau Bruzzone.

Geben Sie mir bitte ● Könnten Sie bitte ● Geht das?

Nachricht

von: *Frau Bruzzone*

an: *Frau Sanchez / Frau Nokic 12.6., 7.30 Uhr*

Frau Wilabi ist krank. .... heute länger

arbeiten und auch die Zimmer 201-235 putzen? ....

Bitte auch morgen, wenn Frau Wilabi morgen auch nicht kommt.

... Bescheid. Vielen Dank!

3 Was ist richtig? Kreuzen Sie an.

☐ Frau Sanchez ist krank.

☐ Frau Wilabi ist heute und morgen krank.

☐ Frau Sanchez und Frau Nokic sollen Frau Wilabi vertreten.

4 Frau Sanchez und Frau Nokic antworten. Was schreiben sie an Frau Bruzzone?

a Frau Sanchez kann Frau Wilabi vertreten. Frau Nokic hat keine Zeit.
Welche Sätze passen zu <u>Frau Sanchez</u>? Welche zu <u>Frau Nokic</u>? Markieren Sie.

Tut mir leid, aber ich habe heute / morgen keine Zeit. ● <u>Das kann ich gern machen.</u> ●
Kein Problem. Ich ... ● Selbstverständlich erledige ich das. ● Leider kann ich nicht ..., weil ... ●
Ich kann Frau/Herrn ... gern vertreten. ● Leider muss ich .... Deshalb kann ich nicht ...

b Schreiben Sie nun die Nachricht
von Frau Sanchez an Frau Bruzzone.
Wählen Sie Sätze aus **a**.

Nachricht

von: *Frau Sanchez*...............................

an: *Frau Bruzzone*...............................

Datum / Uhrzeit: *12.6. / 10:30*...............

Nachricht: *Ja,*...................................

c Frau Nokic kann Frau Wilabi nicht vertreten.
Sie muss gleich nach der Arbeit ihre Tochter vom
Kindergarten abholen. Schreiben Sie die Nachricht.

Nachricht

von: *Frau Nokic*................................

an: ....

Datum / Uhrzeit: *12.6. / 11:00*.............

Nachricht: *Nein,*.............................

5 Sie müssen morgen Vormittag zum Arzt und brauchen eine Vertretung.

a Schreiben Sie einer Kollegin / einem Kollegen eine Nachricht.

Nachricht:

Liebe Frau .... / Lieber Herr ....,..................

morgen...

Könnten Sie....................................

b Tauschen Sie nun Ihre Nachricht mit Ihrer Partnerin / Ihrem Partner im Kurs aus und
schreiben Sie eine Antwort. Können Sie Ihre Partnerin / Ihren Partner vertreten?

1 Hicran Selcuk sucht eine Arbeit. Lesen Sie den Brief und ergänzen Sie dann die Informationen zu Hicran.

a Alter: ....

b Seit wann in Deutschland? ....

c Deutschkenntnisse: ....

d Berufserfahrung: ....

> Freundliche und flexible
> **Küchenhilfe** in Teilzeit
> (20 Std. auch Sa /So) gesucht
> Schriftliche Bewerbungen
> bitte an Frau Bauer, Restaurant *Zur Post*,
> Breisacherstr.14, 79116 Freiburg

> Hicran Selcuk
> Grüntalstr. 17
> 79115 Freiburg
> **Pension *Frank & Frei***
> Inhaber: Peter Frank
> Karlstr. 21

Hicran Selcuk
Grüntalstr. 17
79115 Freiburg

Restaurant *Zur Post*
Frau Bauer
Breisacherstr.14
79106 Freiburg

Freiburg, 15.2.20..

Bewerbung als Küchenhilfe

Sehr geehrte Frau Bauer,

hiermit bewerbe ich mich um die Stelle als Küchenhilfe in Ihrem Restaurant.

Ich bin 24 Jahre alt und lebe seit vier Jahren in Deutschland. Seit zwei Jahren besuche ich einen Deutschkurs und habe das Zertifikat Deutsch mit Note „gut" bestanden. In der Türkei habe ich drei Jahre im Restaurant von meinem Onkel gearbeitet. Deshalb habe ich schon viel Erfahrung und die Arbeit in der Küche hat mir immer Spaß gemacht. Ich bin flexibel und arbeite auch gern am Wochenende.

Mit freundlichen Grüßen

Hicran Selcuk

2 Hicran hat sich bei zwei Hotels beworben. Lesen Sie die zwei Briefe und kreuzen Sie an. Wo hat Hicran ein Vorstellungsgespräch?

☐ **Ihre Bewerbung vom 15.2.**

Sehr geehrte Frau Selcuk,

vielen Dank für Ihr Interesse an einer Arbeit in unserem Restaurant.
Wir würden Sie gern kennenlernen und laden Sie zu einem Vorstellungsgespräch am 28.2. um 17 Uhr in unserem Restaurant ein. Haben Sie an diesem Termin Zeit? Bitte geben Sie uns so bald wie möglich Bescheid.

Mit freundlichen Grüßen

Ilse Bauer

☐ **Ihre Bewerbung**

Sehr geehrte Frau Selcuk,

vielen Dank für die Zusendung Ihres Bewerbungsschreibens.

Leider müssen wir Ihnen mitteilen, dass wir schon eine neue Küchenhilfe gefunden haben. Wir wünschen Ihnen alles Gute bei Ihrer weiteren Arbeitssuche.

Mit freundlichen Grüßen

Peter Frank

3 Hicran hat Zeit für ein Vorstellungsgespräch. Schreiben Sie Hicrans E-Mail.

An...	restaurant-zur-post@t-online.de
Cc...	
Betreff:	Vorstellungsgespräch

....

....

Frau Bauer – geehrte - Sehr, •
Dank – für – Brief – vielen – Ihren – . •
komme – um – Sehr gern – am – ich –
zu dem Gespräch – 28.2. – 17 Uhr – . •
für – Einladung – Besten – die – Dank –! •
auf – Gespräch – Ich – mich – freue – unser –. •
Grüßen – freundlichen – Mit

······→ PROJEKT

1 Frau Cengiz hat einen Brief von der Krankenkasse bekommen. Lesen Sie den Brief. Beantworten Sie die Fragen mit Ihrer Partnerin / Ihrem Partner.

+++ so günstig wie noch nie +++ so günstig wie noch nie +++ so günstig wie noch nie +++ so günstig wie noch nie +++

X-KVplus
Postfach 67 43 02 - 81171 München

Krankenkasse Extraklasse

X-KV

721/A1177809
Frau Fetiye Cengiz
Uphuder Deich 11 a
22772 Hamburg

Für wenig Geld noch besser versichert mit dem „X-KVplus-Tarif"

München, im September

Sehr geehrte Frau Cengiz,

Sie sind Mitglied bei der X-KV und schon zum Normaltarif besonders gut und günstig versichert.

Beim Zahnersatz, bei der Brille, den Kontaktlinsen oder bei einer Krankheit im Ausland müssen Sie aber bis jetzt noch einen großen Teil der Kosten selbst bezahlen. Das kann schnell teuer werden.

Mit unserer neuen Zusatzversicherung „X-KVplus" bieten wir Ihnen eine günstige Lösung für dieses Problem. „X-KVplus" – nur ein bisschen mehr Geld, aber viel mehr Sicherheit.

Sehen Sie doch mal! So wenig kostet unser „X-KVplus-Tarif" und so viel bringt er Ihnen:

Ihr Alter	Das zahlen Sie *)	Das zahlen wir für Sie
bis 29 Jahre	19,90	Ihre Kosten
30 – 49 Jahre	34,90	**100 %**
50 – 69 Jahre	54,90	
ab 70 Jahre	69,90	

Haben Sie Interesse? Dann füllen Sie noch heute das Antragsformular aus und schicken es im beiliegenden Briefumschlag an uns. Das Porto zahlen wir für Sie.

Haben Sie noch Fragen? Dann wählen Sie die Hotline der X-KV: (0180) 1 13 12 22 (3,9 Cent/Minute aus dem Festnetz der Dt. Telekom. Abweichungen bei Anrufen aus Mobilfunknetzen)

Mit freundlichem Gruß

Karla Engelmann
Kundenbetreuung X-KVplus

*) Preis in Euro/Monat

A Von wem hat Frau Cengiz den Brief bekommen?
a Von ihrer Ärztin Frau Engelmann.
b Von ihrer Bank.
c Von der Krankenkasse.

B Was ist richtig?
a Frau Cengiz arbeitet bei der X-KV.
b Frau Cengiz ist Mitglied bei der X-KV.
c Frau Cengiz kennt die X-KV noch nicht.

C Was steht in dem Brief?
a Frau Cengiz soll eine Rechnung bezahlen.
b Die X-KV informiert ihre Mitglieder:
    Es gibt eine zusätzliche Versicherung für sie.
c Frau Cengiz soll im Ausland zum Arzt gehen.

D Was zahlt die X-KV Zusatzversicherung?
Sie zahlt, wenn man
a eine Brille oder Kontaktlinsen braucht.
b eine Schönheitsoperation möchte.
c neue Zähne braucht.
d im Ausland krank wird.

E Was kostet der „X-KVplus-Tarif"
für eine 34-jährige Person?
a 34,90 Euro pro Jahr
b 349,00 Euro pro Jahr
c 418,80 Euro pro Jahr

CD3 41 **2** Hören Sie jetzt das Gespräch und vergleichen Sie.   ┈┈▶ PROJEKT

1 Ivo ist krank und muss zur Kinderärztin.

a Hören Sie Teil 1 des Gesprächs. Was hat Ivo?
Kreuzen Sie an.

☐ Kopfschmerzen ☐ Halsschmerzen ☐ Fieber
☐ Rückenschmerzen ☐ eine Virusinfektion
☐ Ohrenschmerzen

b Hören Sie Teil 2. Was sagt die Ärztin?
Was soll Ivo machen? Kreuzen Sie an.

☐ Antibiotika nehmen ☐ viel trinken ☐ kein Eis essen
☐ Sport machen ☐ viel schlafen
☐ ein Medikament gegen Fieber und Schmerzen nehmen

2 Was fragt Ivos Mutter? Ordnen Sie zu.
Hören Sie noch einmal und vergleichen Sie.

Warum soll er dieses Medikament denn nehmen? • Was ist denn das? • Und was können wir
sonst noch tun • Was ist es denn? Was hat er denn? • Und was kann man da tun? Bekommt er
Antibiotika? • Warum denn? Ist es so stark?

a • *Was ist es denn? Was hat er denn?* ....
▲ Es ist nichts Schlimmes. Es ist nur eine Virusinfektion.

b • ....
▲ Nein, Antibiotika helfen leider nicht gegen Viren.

c ▲ Geben Sie ihm einen Teelöffel davon.

• ....
▲ Das ist ein Saft gegen Schmerzen und Fieber.

d ▲ Aber nur zwei Teelöffel pro Tag!

• ....
▲ Nein, nein, keine Sorge!

e • ....
▲ Mit diesem Saft kann er besser einschlafen und der Hals tut nicht mehr so weh.

f • ....
▲ Er soll viel trinken und viel schlafen.

┈┈┈▶ PROJEKT

1 **Lesen Sie den Text über Marina Benzi und ihren Lebenslauf.**

a Welche Informationen fehlen im Lebenslauf?
Suchen und markieren Sie die Informationen in dem Text.

b Ergänzen Sie dann die Informationen im Lebenslauf.

 Hallo, ich bin Marina Benzi. Geboren wurde ich am 29.11.1981 in Udine. Im Alter von zwei Jahren bin ich dann mit meinen Eltern und meinen beiden Brüdern nach Deutschland gezogen. Seitdem lebe ich in München, hier habe ich auch die Grundschule besucht: von 1987-1991. 1993 könnte ich auf die Realschule wechseln. Die habe ich dann mit der Note 2,1 abgeschlossen. Danach habe ich eine Ausbildung als Krankenpflegerin am Klinikum Neumarkt gemacht. Die Ausbildung hat drei Jahre gedauert. Nach meiner Ausbildung wollte ich unbedingt wieder in München arbeiten. Zum Glück habe ich auch gleich eine Stelle als Krankenpflegerin am Klinikum Großhadern bekommen. Weil ich aber so gern mit Kindern zusammen bin, wollte ich lieber auf einer Kinderstation arbeiten. 2002 habe ich dann endlich eine Stelle an der Kinderklinik Dritter Orden gefunden. Seitdem arbeite ich da.

Ja, und 1997 habe ich Herbert kennengelernt. 2000 haben wir geheiratet. Und 2006 ist unser Sohn Alexander auf die Welt gekommen!

Welche Sprachen ich spreche? Nun, natürlich fließend Deutsch und Italienisch und in der Schule habe ich noch Englisch gelernt.

Lebenslauf
Marina Benzi

Persönliche Daten

Anschrift:	Klugstraße 34, 80638 München
	Telefon: 089 / 550 53 99
	E-Mail: MarinaBenzi@mm-muenchen.de
geboren am	29.11.1981 in ....
Staatsangehörigkeit:	deutsch
Familienstand:	................................., 1 Kind

Schulausbildung

1987–1991	Städtische .... an der Manzostraße, München
1991–1993	Städtische Hauptschule München Moosach
1993–1997	Städtische Arthur-Kutscher-Realschule, München
	.................................: Mittlere Reife (Note 2,1)

Berufsausbildung

9/1997 – 6/2000	.... , an der Berufsfachschule für Krankenpflege, Klinikum Neumarkt

Berufliche Tätigkeiten

9/2000 – 7/2002	Krankenpflegerin am Klinikum Großhadern, ...
8/2002 bis heute	.... in der Kinderklinik Dritter Orden, München

Berufliche Fortbildung

10/2001	Seminar: Umgang mit Angehörigen von Patienten

Besondere Kenntnisse

Sprachkenntnisse:	Italienisch, ... , ...
EDV-Kenntnisse:	Microsoft Office: Word, Excel
Führerschein:	Klasse B
Hobbys:	Musik, Sport

Marina Benzi
20.10.20..

2 **Schreiben Sie nach diesem Muster Ihren eigenen Lebenslauf.**   ------▶ PROJEKT

45

1 Marina Benzi möchte sich beruflich verändern.

Deshalb führt sie ein Beratungsgespräch in der Agentur für Arbeit.
Hören Sie das Gespräch. Was ist richtig? Kreuzen Sie an.

a Marina hat ihre Ausbildung am Klinikum Großhadern gemacht. ☐
b Sie hat keine Kinder. ☐
c Sie möchte nicht für immer als Krankenpflegerin arbeiten. ☐
d Sie hat keinen Schulabschluss. ☐
e Sie arbeitet nicht gern mit Kindern. ☐
f Organisieren macht Marina Spaß. ☐
g Sie muss arbeiten, weil ihr Mann arbeitslos ist. ☐
h Der Berufsberater schlägt Marina eine Weiterbildung vor. ☐

2 Spielen Sie nun selbst Beratungsgespräche.

a Lesen Sie die Fragen vom Berufsberater und bereiten Sie für Ihren (Wunsch) Beruf Antworten vor.
Machen Sie Notizen.

b Spielen Sie dann Gespräche mit Ihrer Partnerin / Ihrem Partner. Tauschen Sie dann die Rollen.

Berufsberater/in

▲ Was kann ich für Sie tun?

▲ Was sind Sie von Beruf?
  Wo arbeiten Sie?

▲ Welchen Schulabschluss haben Sie?

▲ Wo haben Sie Ihre Ausbildung
  gemacht?
  Welche Berufserfahrung haben Sie?

▲ Warum möchten Sie sich verändern?

▲ Wo sehen Sie Ihre Stärken?

▲ Ich schlage Ihnen vor: ...

Kunde

● Ich möchte mich gern beruflich verändern.

● Ich bin ...
  Ich arbeite bei/in ...

● Ich war an der ...schule und habe den
  ...abschluss gemacht.

● Meine Ausbildung habe ich bei/in/an ... gemacht.
  Ich habe ... gelernt.
  Ich habe ... studiert.
  Ich habe ... Jahre als ... gearbeitet.
  Ich war ... Jahre in/an/bei ... beschäftigt.

● Ich möchte etwas Neues lernen.
  Die Arbeitsbedingungen sind nicht gut.
  Ich möchte mich weiterentwickeln.

● Ich kann gut ...
  Besonders gut gefällt mir ...
  Ich organisiere / ... sehr gern.

-------➤ PROJEKT

CD3 46-51

1 **Kannst du auch mal ...?**

a Hören Sie die Situationen. Welche Situation passt zu welchem Bild? Kreuzen Sie an.

Bild	A	B	C	D	E	F
Situation 1				x		
Situation 2						
Situation 3						

Bild	A	B	C	D	E	F
Situation 4						
Situation 5						
Situation 6						

b Welche Antworten passen? Kreuzen Sie an. Hören Sie dann noch einmal.

A

■ Kann ich auch mal ins Bad?
● a ☐ Nein, das geht jetzt leider nicht!
   b ☐ Hast du das verstanden?
■ Immer bist du so lange im Bad. Ich muss los!

D

● Kannst du deine Sachen nicht einmal aufräumen?
■ Ich hab jetzt keine Zeit. Ich muss gleich weg.
● a ☐ Das ist mir egal.
   b ☐ Ja, das ist eine gute Idee.

B

● Hast du das Geschenk für Isabell mitgebracht?
■ Äh, nein! Aber ich gehe gleich los und hole es.
● a ☐ Das interessiert mich nicht.
   b ☐ Na gut. In Ordnung. Das kann ja mal passieren.

E

● Sie kommen schon wieder zu spät!
■ Es tut mir leid. Aber meine Schwester war so lange im Bad. Und dann habe ich den Bus verpasst.
● a ☐ Haben Sie das verstanden?
   b ☐ Das geht eigentlich nicht.

C

● Möchtest du tanzen gehen?
■ a ☐ Ja, das ist eine gute Idee.
   b ☐ Das gibt's doch nicht!

F

● Du bist immer so lange im Bad.
■ a ☐ Nein, überhaupt nicht!
   b ☐ Ich weiß nicht! Ich habe keine Lust.

c Welche Personen sind freundlich / nicht so freundlich? Sprechen Sie.

Ich finde, Patricks Schwester ist unfreundlich.

2 **Spielen Sie Situationen wie im Beispiel. Benutzen Sie Sätze aus Übung 1.**

Ihr kommt zu spät!

Oh! Tut uns leid. Der Bus ist …

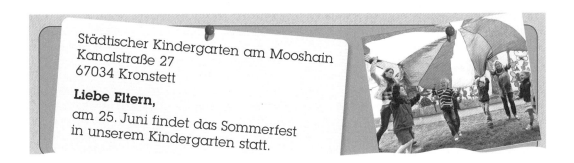

Städtischer Kindergarten am Mooshain
Kanalstraße 27
67034 Kronstett

Liebe Eltern,

am 25. Juni findet das Sommerfest
in unserem Kindergarten statt.

1 **Vorbereitungen zum Kindergartenfest. Was müssen die Eltern machen?**

a Wer macht was? Ordnen Sie die Bilder den Aufgaben a–e zu.

a einen Grill organisieren ☐   d Bänke und Tische aufbauen ☐
b Kuchen mitbringen ☐   e Kinderspiele vorbereiten ☐
c Getränke einkaufen ☐

3 52

2 **Auf dem Elternabend.**

a Wer kümmert sich worum? Hören Sie und kreuzen Sie an.

	Kuchen	Grill organisieren	Getränke	Kinderspiele	aufbauen und aufräumen
Herr Özdem					
Frau Winterher					
Herr Mosbach					
Herr Franetti					

b Welche Antworten passen? Ordnen Sie zu. Hören Sie dann noch einmal.

1 Hat jemand eine Idee für das Programm?   a Ich finde, wir sollten grillen.
2 Herr Özdem, können Sie das organisieren?   b Das ist eine gute Idee.
3 Die Mütter könnten Kuchen mitbringen.   Die Getränke besorge ich.
   Wer kann sie ansprechen?   c Ja, gern. Ich kenne ein gutes Geschäft.
4 Aber wir brauchen etwa 10 Väter und Mütter.   d Am besten, ich hänge eine Liste auf.
5 Wir müssen auch einkaufen: Wasser, Apfelsaft, ...   Da können sich die Eltern eintragen.
   Bestellen wir bei Getränke Fischer?   e Klar. Ich frage sie mal. Ich spreche mit
                                                            den Müttern.

3 **Sie machen eine Party. Planen Sie die Party.**
Verteilen Sie die Aufgaben und machen Sie Notizen.

Andi: CDs mitbringen
...

Also wir brauchen unbedingt
gute Musik. Andi, kannst du das
machen? Bringst du CDs mit?

Gute Idee. Ja, das
mache ich gern.

┄┄┄➤ PROJEKT

Wortliste

Die alphabetische Wortliste enthält die Wörter dieses Buches mit Angabe der Seiten, auf denen sie zuerst vorkommen. Wörter, die für die Prüfung „Start Deutsch 1/2" und für den „Deutsch Test für Zuwanderer" (DTZ) nicht verlangt werden, sind kursiv gedruckt. Bei allen Wörtern sind die Wortakzente gekennzeichnet. Ein Punkt (a) heißt kurzer Vokal, ein Unterstrich (o) langer Vokal.
Steht der Artikel in Klammer, gebraucht man die Nomen meistens ohne Artikel. Nomen mit der Angabe „nur Singular" verwendet man nicht oder nur selten im Plural. Nomen mit der Angabe „nur Plural" verwendet man nicht oder nur selten im Singular. Trennbare Verben sind durch einen Punkt nach der Vorsilbe gekennzeichnet (an·fangen).

der Abfall, ⸚e 23
das Abitur 60, 61, 62
der Ablauf, ⸚e 65, AB 125
ab·lesen 24
die Ablesung, -en 23, AB 105
die Abschiedsfeier, -n 43
ab·schließen F 172
der Abschluss, ⸚e 73
die Abschlussprüfung, -en 60
das Abschlusszertifikat, -e 65
das Abschlusszeugnis, -se AB 146
ab·stellen 23, 25
ab·stufen 57
die Abteilung, -en 42, 45, 55
die Abweichung, -en F 170
die Abwesenheit, -en 23, AB 105
achten (auf) 41, AB 85
acht geben 41
die Adressänderung, -en F 165
ähnlich AB 122
die Ahnung, -en 44
das Akkusativpronomen, - 77
die Aktion, -en AB 136
alkoholfrei AB 111
die Allee, -n 33
allein leben 14
alleinerziehend 14, AB 93

die Allergie, -n F 166
das Alpenland, ⸚er 37
das Altersheim, -e 70
das Altglas (nur Singular) AB 100
der Altglascontainer, - AB 100
das Altpapier (nur Singular) AB 100, AB 103
der Altpapiercontainer, - AB 100
andersherum 62
der Anfänger, - 55, 65
an·gehen (jdm. etwas) 73
der/die Angestellte, -n AB 124
Angst haben vor (jdm., etwas) 68
die Angst, ⸚e 52, 65
der Anlass, ⸚e 23, 43
das Anmeldeformular, -e AB 147
an·schauen 21
anscheinend 61, 62
an·schneiden 75
die Anschrift, -en F 165
an·sehen (sich) 8
an·sprechen F 175
an·stoßen 43
das Antibiotikum, -biotika F 171
der Anti-Stress-Kurs, -e F 167
das Antragsformular, -e F 170
an·ziehen (sich) 50, 57, AB 129
an·ziehen 40, AB 120
die Apfelschorle, -n 32
das Aqua-Jogging (nur Singular) F 167
der Arbeitnehmer, - 44, AB 125
der Arbeitsalltag (nur Singular) AB 124
der Arbeitsanzug, ⸚e 40, AB 119
die Arbeitsbedingung, -en F 173
die Arbeitssuche (nur Singular) F 169
der Arbeitstag, -e 40
der Arbeitsvertrag, ⸚e AB 125
die Arbeitswelt (nur Singular) 38, AB 118
der Ärger (nur Singular) 40
ärgern (sich) 50, 52, 53
arm 60
die Armee, -n 46
die Art, -en 37
der Arztbesuch, -e F 167
die Asche, -n AB 100

das Asthma (nur Singular) F 166
au ja, AB 110
auf·bauen F 175
auf·hängen 11, AB 87
die Auflösung, -en 66
auf·passen 78, AB 142
auf·wachsen 58
der Aufzug, ⸚e 23, 25, 26
das Au-pair-Mädchen, - 9, 10, 19
die Ausbildung, -en 58, 60, 62
aus·denken (sich) 66
aus·drücken 57, 67
aus·gehen 14
die Aushilfe, -n 43, AB 124, AB 125
das Ausland (nur Singular) AB 148
aus·leben AB 149
aus·packen 11, 15, AB 87
aus·reden 10
aus·richten 42, 45, 81
aus·ruhen (sich) 50, 53, 57
aus·schlafen 28, 29
der Ausschnitt, -e 33
außer Betrieb 56
außer Haus 42
außerdem 32, 69
außerhalb 40, 80
die Aussprache (nur Singular) 65
aus·tragen AB 140
der/die Auszubildende, -n 64
der Autoschlüssel, - 12, 81
der/die Azubi, -s 55
der Bäcker, - 29, 31, 33
der Ball, ⸚e AB 96, AB 103
der Ball: *am Ball bleiben* 58
die Bank, ⸚e F 175
die Bankenstadt, ⸚e 37
die Bankkauffrau, -en 81
der Bankkaufmann, ⸚er AB 149
die Banklehre, -n AB 142
die Bar, -s AB 89
die Bäuerin, -nen 62
der Bauernhof, ⸚e 62, AB 140
beachten 23, 40
bedanken (sich) 43, AB 105
beenden AB 148
die Beerdigung, -en AB 148
befüllt 23
der Begriff, -e 56
die Behandlung, -en F 166
beiliegend F 170
Bein: *mit beiden Beinen im Leben stehen* 58

bekannt geben 65
bekannt 37
der Bekannte, -en 14, 41
beliebt 37
die Belohnung, -en AB 104
das Beratungsgespräch, -e AB 147
berechtigen AB 125
die Bereitschaft (nur Singular) 43
berichten 15, AB 146
der Berliner, - 37
beruflich F 173
der Berufsanfänger, - 40, AB 120
die Berufsausbildung, -en F 172
der Berufsberater, - 41, 53, F 173
die Berufsberatung, -en 45
das Berufsberatungsgespräch, -e F 173
die Berufserfahrung, -en F 169, F 173
die Berufsfachschule, -n F 172
das Berufskolleg, -ien 64
das Berufsleben (nur Singular) AB 145
die Berufsschule, -n 64, AB 145
die Berufswahl (nur Singular) AB 149
der Berufsweg, -e 67, 81
der Berufswunsch, ⸚e AB 149
berühmt 37
beschäftigen (sich) 33, AB 125, 136
beschäftigt F 173
die Beschäftigung, -en AB 125
Bescheid geben F 168
beschweren (sich) über 52, 53
besichtigen 12, 15, Ab 90
der Besichtigungstermin, -e F 164
besorgen F 163, F 175
besprechen 24, 68
bestätigen F 166
das Beste (nur Singular) 12, 15, 58
besteigen 56
die Besteuerung, -en AB 125
der bestimmte Artikel, - 77
die Bestimmung, -en F 166
betreffen 44
die Betreffzeile, -n F 165
der Betriebsrat, ⸚e 43, AB 124
betrunken 40

der Bettelmann, ⁼er 30
bewegen (sich) 49, 50, 51
die Bewegung, -en 52, 56
der Bewegungskurs, -e
F 167
bewerben (sich) 65, F 169
die Bewerbung, -en 43,
AB 124, F 169
das Bewerbungsschreiben, -
65, F 169
das Bewerbungstraining, -s
65
die Bezahlung (nur Singular)
AB 125
bezugsfrei F 164
der Bierkrug, ⁼e 31
die Bildung (nur Singular)
68
die Biologie (nur Singular)
64
der Biomüll (nur Singular)
23, AB 100, AB 103
die Biotonne, -n 80
das BIZ = das Berufsinforma-
tionszentrum, -zentren 41
blöd 60
bluten 65
das Bohnengericht, -e 33
das Bonusprogramm, -e F 167
der Bonuspunkt, -e F 167
der Braten, - AB 111
die Bratwurst, ⁼e 33,
AB 113
die braune Tonne, -n AB 100
die Braut, ⁼e 75, AB 158
der Bräutigam, -e 75
das Brautkleid, -er 75
das Brautpaar, -e 75, AB 158
der Brautstrauß, ⁼e 75,
AB 158
der Brautwalzer, - 75
die Brezel, -n 31, 35, AB 109
der Briefkasten, ⁼ 24, 25,
26
die Broschüre, -n AB 135,
F 167
die Brücke, -n AB 102
brutal 54
brutto AB 125
das Bücherregal, -e 21
das Budget, -s (franz.) 76
bügeln 48, 49
der Bundeskanzler, - 33, 53
die Burg, -en 37
die Bürokauffrau, -en 58
die Bürokommunikation, -en
58
die Bürozeit, en 80
der Bus, -se 9, 11, 12
die Busfahrt, -en AB 137

der Cappuccino, -s (ital.)
AB 111
das Chaos (nur Singular)
AB 93
chatten (engl.) F 162
die Checkliste, -n 41
der Cheeseburger, - (engl.) 33
die Chemie (nur Singular)
64
die Collage, -n 72
das Computerspiel, -e
AB 152, 156
der Container, - (engl.) 18,
AB 100
cool (engl./amerik.) AB 149
der Cousin, -s (franz.) 13,
14, AB 92
die Cousine, -n 13, 14,
AB 92
die Creme, -s (franz.) 37
d.h. = das heißt 50
da sein 24
dabei sein 30, 75
die Dachwohnung, -en 14
dafür 26, 54, 57
dagegen 33
die Dame, -n 70
daran 54, 57
darauf 54, 57
darüber 54, 57, 64
darum 57
der Datenschutz (nur Singular) F 166
das Dativpronomen, - 77
davon 57
dazu 30
die Decke, -n 20, 21
die Dekoration, -en 76
dekorieren 76, AB 159
denken an 52, 53, 54
die Deutsche Bundesliga (nur
Singular) 58
der Diabetes (nur Singular)
F 166
die Diät, -en 34, 37
dienstags 55
das Ding, e 21, 46
das Direktional-Adverb, -ien
25
diskutieren 12, AB 90, 91
der Döner, - = Dönerkebab
59, AB 113
der Dosenöffner, - 46
drin sein 32
dumm 60
das Dumme (nur Singular)
16
dünn 48
der Durchschnitt (nur Singular) 44

durchschnittlich 44
durch·streichen AB 103
die Durchwahl, -en 42, 45,
AB 122
duschen (sich) 50, 53, 57
der DVD-Player, - (engl.)
72
die EDV-Kenntnisse (nur
Plural) F 172
effektiv F 163
egal F 174
ehemalig 33
das Ehepaar, -e 8
ehrlich 56, 57
der Eigenbedarf (nur Singular) F 165
ein- (Pronomen) 31
die Einbauküche, -n F 164
der Einbürgerungstest, -s 65,
80
eine (Pronomen) 31, 35
einer (Pronomen) 35
die Einführung, -en 65
ein·legen (Widerspruch)
F 165
ein·packen 73, AB 88,
AB 155
eins (Pronomen) 31, 35
ein·stellen AB 125
der Einwohner, - 37
einzige 10
die Einzimmerwohnung, -en
AB 159, F 164
der Einzug (nur Singular) 23
Eishockey spielen AB 137
das Eishockey (nur Singular)
54
die Eishockey-Saison, -s 54
elegant AB 113
elektronisch 65
das Element, -e 66
das Elfchen-Gedicht, -e 73
der Elfmeter, - 54
der Elternabend, -e 68, 69
der Elternbeirat, ⁼e 68, 69
der Elternklassensprecher, -
68
der Elternsprecher, - 69
empfehlen 73, AB 155
die Empfehlung, -en 77,
AB 156
das Ende, -n 17, 19, 37
enden 69
der Enkel, - 14
das Enkelkind, -er 13, 72,
77
entfernen 23, B 105
entfernt 56
das Entgelt, -e AB 125
enthalten F 164

entlassen 43
die Entlassung, -en 43,
AB 124
entsprechen AB 125
die Erdkunde (nur Singular)
64
erfahren 65
die Erfahrung, -en 65,
AB 149
erfragen 57, F 170
das Ergebnis, -se 36, 52, 66
erhalten AB 90
erinnern (sich) an 52, 54,
57
die Erinnerung, -en 43
erkältet 50, 51
die Erkrankung, -en F 166
erkundigen (sich) 81
erleben 12, 15, AB 90
ernähren (sich) 57, AB 129,
F 167
die Ernährung (nur Singular)
AB 136
der Ernährungskurs, -e F 167
das Erstaunen (nur Singular)
15
erstaunt 29
der Erste-Hilfe-Kurs, -e 65
erstellen 20
Erster 58, 72
Erstliga-Klub 58
erteilen F 168
der Espresso, -s und die Espressi
80, AB 111
die Essgewohnheit, -en 30
der Essig, -e 32, AB 113
die Etage, -n F 164
euer- (Possessivpronomen)
45
europäisch 30, 37
der Ex-Bundeskanzler, - 33
der Expertentipp, -s 56
die Expertin, -nen 65
der Export, -e 47
die Exportabteilung, -en 42,
AB 123
die Export-Import-Abteilung,
-en 42
das Extra, -s AB 111
der Extremsportler, - 56
die Fabrik, -en 43, AB 124
das Fachabitur (nur Singular)
AB 148
die Fachhochschule, -n 64,
AB 145, AB 148
die Fachoberschule, -n 64,
AB 148
der Fahrer, - AB 103
der Fahrgast, ⁼e 40
die Fahrradtour, -en AB 135

die Nachbarschaftshilfe, -n 24, AB 105
nachher 49
die Nachrichtenmeldung, -en 80
die Nachspeise, -n 37, AB 114
der/die Nächste, -n AB 158
nachts 40, 45, AB 118
der Namenstag, -e AB 157
die Nationalmannschaft, -en 58
der Nebensatz, ¨e 45
der Neffe, -n 13, 16, AB 92
nervös 12
die Neuigkeit, -en 69
die Nichte, -n 13, 16, AB 92
(das) nicht-trennbare Verb, -n 15
niedrig F 165
niemand 42, 45, 78
nirgends 37
nirgendwo 33
der Nominativ, -e 35, 45
nonstop AB 93
das Nordic Walking, -s (engl.) F 167
normalerweise 56
der Normaltarif, -e F 170
die Notsituation, -en 65
die Nudel, -n 30
die Nudelsuppe, -n 32
nun 17
die Nuss, ¨e 31, 37, AB 109
das Nusseis (nur Singular) 32
der Nusskuchen, - AB 111
die Nussschale, -n AB 100
die Nussschnecke, -n 29, 31, 35
nutzen 66
nützlich 65
oberösterreichisch 37
die Oberschule, -n 64
obig F 166
das Objekt, -e 77
das Offiziersmesser, - 46
öfters 11
olympisch 54
der Onkel, - 13, 16, 17
optimal AB 93
der Ordner, - AB 135
die Organisation, -en 69
der Organisator, -en AB 136
organisieren 68
originell 66
ostdeutsch 37
das Paar, -e 34
das Päckchen, - 66
das Packpapier, -e 73

der Papierkorb, ¨e AB 96, 99, 103
das Parfüm, -e und -s 72
passieren 15
der Patient, -en F 166
die Pause, -n AB 112
das Pech (nur Singular) 11, 15, AB 91
peinlich 11, 15, AB 91
das Perfekt (nur Singular) 15
das Personalbüro, -s 43, AB 119, 124
der Personenwagen, - AB 148
die Pfanne, -n 31
die Pflege (nur Singular) 65
der Pflegebereich, -e 65
die Physik (nur Singular) 64
der Pilot, -en 62
das Pils, - = Pilsener Bier AB 111
das Plastik (nur Singular) 18, 23, AB 100
das Plastikgeschirr, -e AB 113
Platz nehmen 32, AB 114
die Pollenallergie, -allergien F 166
Pommes (frites) 30, 33, AB 113
der Popsänger, - 33
die Portion, -en 32, AB 111
das Porto, -s und Porti F 170
das Possessivpronomen, - 45
das Postfach, ¨er 23
die Postkarte, -n 12, AB 88
das Präfix, -e 15
praktisch 46
die Praline, -n 72, AB 155
die Prämie, -n F 167
das Präpositionaladverb, -ien 57
präsentieren (sich) 65
präsentieren 36
die Probezeit, -en AB 125
probieren 33, 37, 73
die Produktion, -en AB 148
der Professor, -en 52
die Profifußballerin, -nen 58, 59
die Provision, -en F 164
punkten F 167
die Puppe, -n 73
die Qualifizierung, -en 65
das Quartett, -e 31
die Quartettkarte, -n 31
radeln 56
Rad fahren 54, AB 133
die Radiosendung, -en 34

der Radsport (nur Singular) 55
raffiniert 33
ran 65
ratsch! 75
der Raucherentwöhnungskurs, -e F 167
rauchfrei F 167
rauf 22, 25, AB 101
rauf·fahren AB 101
rauf·gehen AB 101
raus 22, 25, AB 101
raus·gehen AB 101, 122
raus·kommen 22
reagieren 56, AB 114
der Realschulabschluss, ¨e 58
die Realschule, -n 64, AB 136, AB 145
recht: recht haben 16, 61, 63
reden 69
die Regel, -n 23, AB 133
regelmäßig 49, AB 125, AB 149
der Regierungschef, -s 33
reich 60
reichen 56
rein 22, 25, AB 101
rein·gehen AB 101, AB 122
rein·kommen 22, 34, 81
rein·spazieren 12
der Reiseführer, - 72
reklamieren 32, 35, 80
relaxen (engl.) F 167
die Rente, -n 43, AB 124
der Rentner, - 43
der Restmüll (nur Singular) AB 100, AB 103
das Rezept, -e 33, 36, AB 114
die Richtigkeit (nur Singular) F 166
der Rinderbraten, - 32
der Ringtausch, -e 75
der Riss, -e 75
der Rock'n Roll (nur Singular) 55
die Rolle, -n 21
der Rollstuhl, ¨e 70
die Rose, -n AB 133
der Routine-Typ, -en 66
rüber 25, AB 101
rüber·gehen AB 101
die Rückenschule (nur Singular) F 167
die Rückkehr (nur Singular) 10, AB 148
ruhig bleiben 12
runter 22, 25, AB 101
runter·fahren AB 101

runter·fallen 50, 75
runter·kommen 25
die Sachprämie, -n F 167
die Säge, -n 46
das Salamibrötchen, - 33
salzig 33, AB 113
die Sammelstelle, -n AB 100
der Samstagabend, -e 52
das /der Sandwich, -es und -e (engl.) 33
der Satzteil, -e AB 153
sauber 27
die Sauberkeit (nur Singular) 18
sauer 10, 33, AB 85
das Sauerkraut (nur Singular) 33, AB 113
schaffen 58
die Schale, -n AB 100
scharf 33, AB 113
das Schema, -s und Schemata 64, AB 145
die Schicht, -en AB 124
der Schichtdienst, -e 43
das Schinkenbrötchen, - 33
die Schleife, -n 73
das Schlimme F 171
das Schloss, ¨er 21
die Schlussbestimmung, -en AB 125
der Schmuck (nur Singular) 72, AB 153
schneiden 40, 46, 62
die Schneiderin, -nen 62
das Schnitzel, - 32
die Schnur, ¨e 73
die Schönheitsoperation, -en F 170
der Schraubenzieher, - 46
die Schreibtischlampe, -n AB 98
der Schreiner, - 64
die Schublade, -n 21
das Schuhregal, -e 21, AB 103
der Schulabschluss, ¨e 68, F 173
die Schulausbildung (nur Singular) F 172
die Schulfrage, -n 68, 69
das Schulfranzösisch (nur Singular) 65
der Schulkiosk, -e 68, AB 136
das Schulsystem, -e 64, AB 145, 146
der Schulweg, -e 64
die Schulzeit, -en 64, 67, 81
die Schüssel, -n 31, AB 110
schwach 50, 51
der Schwager, ¨ 13, AB 92

Unregelmäßige Verben

aufstehen, er/sie steht auf, ist aufgestanden
(sich) ausdenken, er/sie denkt sich aus,
  hat sich ausgedacht
ausgehen, er/sie geht aus, ist ausgegangen
aussteigen, er/sie steigt aus, ist ausgestiegen
bekommen, er/sie bekommt, hat bekommen
beschreiben, er/sie beschreibt, hat beschrieben
besprechen, er/sie bespricht, hat besprochen
(sich) bewerben, er/sie bewirbt sich,
  hat sich beworben
braten, er/sie brät, hat gebraten
denken, er/sie denkt, hat gedacht
gießen, er/sie gießt, hat gegossen
einschlafen, er/sie schläft ein, ist eingeschlafen
einsteigen, er/sie steigt ein, ist eingestiegen
empfehlen, er/sie empfiehlt, hat empfohlen
erfahren, er/sie erfährt, hat erfahren
erziehen, er/sie erzieht, hat erzogen
fallen, er/sie fällt, ist gefallen
gewinnen, er/sie gewinnt, hat gewonnen
hängen, er/sie hängt, hat gehangen/hat gehängt
(sich) halten, er/sie hält, hat gehalten
klingen, er/sie klingt, hat geklungen
lassen, er/sie lässt, hat gelassen

liegen, er/sie liegt, hat gelegen
schlagen, er/sie schlägt, hat geschlagen
sitzen, er/sie sitzt, hat gesessen
sitzen bleiben, er/sie bleibt sitzen,
  ist sitzen geblieben
schneiden, er/sie schneidet, hat geschnitten
sprechen, er/sie spricht, hat gesprochen
stehen, er/sie steht, hat gestanden
streiten, er/sie streitet, hat gestritten
(sich) treffen, er/sie trifft, hat getroffen
tun, er/sie tut, hat getan
übertreiben, er/sie übertreibt, hat übertrieben
(sich) umziehen, er/sie zieht um, ist umgezogen
(sich) unterhalten, er/sie unterhält sich,
  hat sich unterhalten
verbinden, er/sie verbindet, hat verbunden
vergessen, er/sie vergisst, hat vergessen
verlassen, er/sie verlässt, hat verlassen
verlieren, er/sie verliert, hat verloren
versprechen, er/sie verspricht, hat versprochen
verstehen, er/sie versteht, hat verstanden
waschen, er/sie wäscht, hat gewaschen
wegfahren, er/sie fährt weg, ist weggefahren
werfen, er/sie wirft, hat geworfen

Quellenverzeichnis